國 家 古 籍 整 理 出 版 專 項 經 費 資 助 項 目

栖芬室

栖 芬 室 藏 中 醫 典 籍 精 選 · 第 三 輯

醫 說 壹

【宋】張杲 撰

中國中醫科學院中醫藥信息研究所組織編纂

牛亞華◎主編　　　　　　牛亞華◎提要

北京科學技術出版社

栖：江湖芳草及展几席
萬泉月顏責此室可為全
浮隨從唯此請芬隨子栖芬
為余久遠亲讬淳一目揚栖芬室
貼為之負心當志等達手中國圖
心廣上目藏家下送淅祥連達處
學士書博宿典播川供甄求其世讀
君之窩庸遠成積書必蔵寫祖說上
光于些之心似合者勒掀播造事日
不以為黑乃楠言萬喬日栖芬
宣孟句始业纪資之余嘉丸
奬丰芸學腌塾故裔屯顏台賛
觀吉以貽业華辰未楠德東記

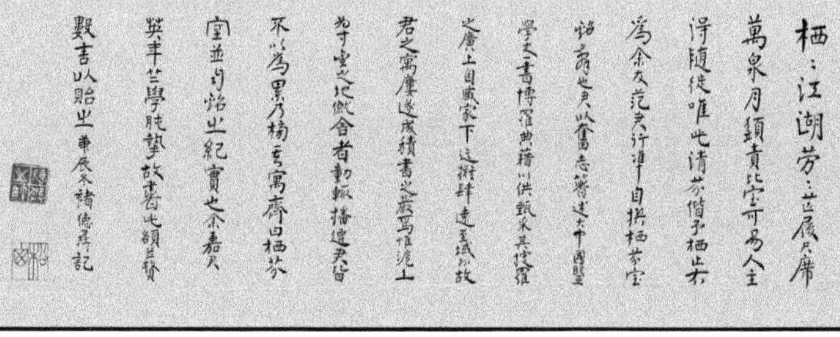

圖書在版編目（CIP）數據

栖芬室藏中醫典籍精選·第三輯. 醫說　壹/牛亞華主編. —北京：北京科學技術出版社，2018.1

ISBN 978－7－5304－9247－5

Ⅰ. ①栖…　Ⅱ. ①牛…　Ⅲ. ①中國醫藥學—古籍—匯編　Ⅳ. ①R2-52

中國版本圖書館 CIP 數據核字（2017）第213662號

栖芬室藏中醫典籍精選·第三輯. 醫說　壹

主　　編： 牛亞華

策劃編輯： 章　健　侍　偉　白世敬

責任編輯： 張　潔　周　珊

責任印製： 張　良

出 版 人： 曾慶宇

出版發行： 北京科學技術出版社

社　　址： 北京西直門南大街16號

郵政編碼： 100035

電話傳真： 0086-10-66135495（總編室）

0086-10-66113227（發行部）　0086-10-66161952（發行部傳真）

電子信箱： bjkj@bjkjpress.com

網　　址： www.bkydw.cn

經　　銷： 新華書店

印　　刷： 虎彩印藝股份有限公司

開　　本： 787mm × 1092mm　1/16

字　　數： 284千字

印　　張： 24.25

版　　次： 2018年1月第1版

印　　次： 2018年1月第1次印刷

ISBN 978－7－5304－9247－5/R·2415

定　　價： **690.00元**

《栖芬室藏中醫典籍精選》編纂委員會

前言

范行準先生是中國醫史文獻研究的開拓者之一，其成就之巨大，至今難以逾越；他也是著名藏書家，其栖芬室以收藏中醫古籍聞名於世。與一般藏書家不同的是，范行準先生搜求醫籍的初衷并非只爲藏書，而是爲開展醫史研究收集資料，因此，他的藏書除注重醫籍的版本價值外，更重視文獻的稀缺性和學術性。他説：『予之購書，善本固所願求，但應用與希覯孤本，尤亟於善本也。』足見他對購求孤本和稀見本比善本更爲迫切。他的藏書不僅有元明善本，還有大量的孤本、稀見本、稿抄本，這更是其藏書的一大特色；他還特别注重圍繞某個專題進行搜集，如爲了研究中國免疫學史，他搜集了大量疫病、痘疹和牛痘接種的相關文獻；他在本草、成藥方、中西匯通醫書的收藏方面，亦有獨到之處。

長期以來，研究者一直期望將栖芬室藏中醫古籍珍本系統整理，影印出版。在國家古籍整理出版專項經費的資助下，我們已甄選栖芬室藏元明善本、稿抄本以及最具特色的『熟藥方』，并加以編輯整理，邀請專家撰寫提要，且分别於二〇一六和二〇一七年相繼影印出版了﹏栖芬室藏中醫典籍精選﹏第一輯和第二輯，受到學界歡迎。上述兩輯出版的著作，僅爲栖芬室藏書的一部分，除此之外尚有許多醫籍值得醫界研究和利用。此次我們又獲得了國家古籍整理出版專項經費的資助，選取了十餘種明清孤本、善本和有實用價值的醫籍影印出版，是爲栖芬室藏中醫典籍精選第三輯。

作爲『栖芬室藏中醫典籍精選』項目的收官之作，本輯在書目的選擇上尤難决斷，栖芬室所藏珍本甚多，内容廣泛，難免顧此失彼。我們希望所選書目既能兼顧臨床實用與文獻價值，又能體現栖芬室藏書的特色和范行準先生的藏書理念。

基於上述考慮，本輯入選書目大多臨床實用與文獻價值兼具。如醫略正誤概論是少見的針砭時弊的作品，該書十分注重常見病尤其是熱證的鑒别診斷，是關於熱證最全面的論著。女醫雜言是罕見的女性醫家的著作，也是較早的醫案著作，所記案例均爲女性病人，内容細緻入微。衆妙仙方是明代官吏馮時可在廣西爲官時，發現當地缺醫少藥，迷信巫術，爲改變這種狀况而作，收方切合實用。新編名方類證醫書大全、慈惠小編、脉微等均具有較高的臨床價值。

在版本和文獻價值方面，本輯所收有不少爲海内外孤本，如上述的醫略正誤概論、女醫雜言、慈惠小編及秘傳常山敬齋楊先生針灸全書等爲天壤間僅存之碩果，且其中一些還入選了國家珍貴古籍名録，其版本和文獻價值自不待言。有些入選醫書雖然現存不止一種版本，但也獨具特色。如衆妙仙方，現存三種版本，本次所選爲萬曆刊本，印刷年代雖在三種版本中最晚，但經比對發現，該版本與其他兩種版本有較大差异，應是其初刊本的翻刻本，反映了該書最初的狀態，對研究該書版本及修訂演進有重要價值。再如醫説，版本衆多，民國至今，我國已出版的影印本多達二十餘種，但是，這些影印本所據底本僅宋刊本、四庫全書本和顧定芳本三種。本次選用的張堯德刻本，經籍訪古志補遺評價其爲『依顧定芳本而改行款字數者，然比之顧本，仍能存宋本之舊』。該版本序、跋最全，存本亦少，對於考察醫説的版本源流以及校勘均有重要價值。

栖芬室藏書中，有不少和刻本中醫典籍，本次選編的熊宗立新編名方類證醫書大全爲這類書的代表，該書刊刻於日本大永八年（一五二八），是目前已知的日本翻刻的第一部中國醫籍，也是日本博多本的代表作，本身具有很高的版本價值。其底本是明成化三年（一四六七）熊氏種德堂刻本，翻刻本連原刻本的牌記都原樣照刻，而原刻本國内已無存。有學者曾將該翻刻本與日本藏明成化三年原刻本對比，認爲二者的版式、行款俱同，從該和刻本還可以窺見原刻本之面貌。該和刻本後有日本著名學者幻雲壽柱的校勘記，這是中日醫學交流的重要見證。

范行準先生因明季西洋傳入之醫學一書蜚聲學界，其藏書中亦不乏中西匯通著作，如徹賸八編・内鏡收載了一些西方傳入的解剖生理學知識，是現在所知最早的中西匯通醫書，國内僅兩家圖書館有藏，亦屬珍貴。近年來，該書引起學界關注，屢被引用，但對其系統的研究工作還有待開展。

栖芬室藏書中，還有一些醫學學術價值雖然不高，但却能據以了解醫學在市井平民間傳播方式的普及性書籍，繡像翻症即屬此類。關於該書，范行準先生曾在栖芬室架書目録按曰：『「翻症」之自來未聞，嘗殫思不得其解，頃重整書目，又觸及此書，忽悟「翻」乃「番」之借字，諸言霍亂由外番傳入，故亦稱「番痧」。而因患者嘔吐猝倒，北方稱爲翻倒，因有「翻症」之稱。』該書後附售賣各種成藥的名單，因而范行準先生『疑亦當時藥肆宣傳品』。書中用動物和人的形象表示疾病的症狀，如『烏鴉狗翻症』上方繪一鴉一狗，下方繪一跌倒地上、口吐穢物的病人。文字則書寫症狀、治法，形象生動。中國中醫古籍總目收載有該書的三種版本，最早爲同治年間刊本，本次影印者爲更早的咸豐元年文林堂刻本，爲中國中醫古籍總目所漏載。

在第一輯的前言中，我們已對范行準先生和栖芬室藏書做了介紹，但是在本項目即將完成之際，仍情不自禁感念先賢保存中醫古籍的豐功偉業。范行準先生出身貧寒農家，本是放牛娃，斷續讀過兩年小學，靠自學考入上海國醫學院，在師友接濟下才得以完成學業。寒門子弟，本應與藏書家的名號無緣。但是，范行準先生對醫史文獻研究産生了濃厚興趣，爲此他開始搜求醫籍，以供學術研究之用。抗日戰争爆發後，珍貴圖書散落市井，他又『念典章之覆没，感文獻之無徵』，終日流連於書肆冷攤，節衣縮食，不惜典當借貸，購買醫籍，竟憑一己之力，使大量珍貴醫籍免遭兵燹之厄，存留至今，爲我們所用。

范行準先生是公認的藏書家，但他却不願以此自詡，他説：『有人曾經稱我爲藏書家，老實説我是不太喜歡這個詞的，我認爲「書」是供人閱覽和參考，而决不是讓人來觀賞的，否則無論多麼珍貴的書都會成爲一堆毫無價值的廢紙。』中國傳統的藏書家往往將自家藏書作爲案頭的清供與把玩件，不輕易示人，但范行準先生則視『書物爲天下公器』，在自己頭腦尚清醒之時，即將栖芬室藏中醫典籍悉數獻出。這些藏書不僅價值連城，而且耗費了他畢生心血，亦讓他在感情上難以割捨。他説：『這些書籍跟隨了我三十餘年，它們和我朝夕相處，是我的良師益友，我也把它們當作自己的孩子來愛護，現在讓我一下子離開它們，我心中自然是异常地難捨難分，但是在我有生之年能够看到我酷愛的書籍將爲整個社會、整個中醫事業做更大的貢獻時，我感到無限的幸福和光榮。』

『爲整個社會、整個中醫事業做更大的貢獻』是范行準先生生前的崇高願望，栖芬室藏中醫典籍精選的整理出版，正是以實際行動繼承范行準先生的遺志，以期爲發展中醫藥事業貢獻力量。

栖芬室藏中醫典籍精選總計三輯，它能够順利出版，有賴國家古籍整理出版專項經費的資助，中國中醫科學院中醫藥信息研究所領導和各位專家的支持，以及古籍研究室同事和北京科學技術出版社編輯的辛勤工作。在此一并致謝！

牛亞華

二〇一七年十一月九日於中國中醫科學院

目録

栖芬室藏中醫典籍精選·第三輯

醫説　壹

提要　牛亞華

内容提要

張杲，字季明，宋代新安(今安徽歙縣)人，生卒年代無考。醫説羅頊序曰，淳熙己酉歲之冬，正值盛年的張杲攜其稿來訪，該年爲一一八九年。古人二十歲行成人禮，稱弱冠，盛年當在二十歲之後，五十歲前，由此推知，張杲生年在一一四〇至一一六九年間。又該書李以制跋云，嘉定甲申年(一二二四)，張杲曾向他求序，此時張杲已步入老年；諸葛興一二二八年的跋文説，他奉『越帥待制汪公』之命，整理張杲書稿以付梓，此時張杲應已辭世，故其卒年當在一二二四至一二二八年間。因此，張杲的生活年代應當在一一四〇至一二二八年間。文獻通考、宋史藝文志補、慈雲樓藏書志作張景，蓋『杲』與『景』字形相近所致之誤。

張杲出生於醫學世家。其伯祖張擴，字子充，師事蘄水道人龐安時，遂精於醫。曾治愈蔡元度樞密、吴國夫人、王荆公女疾，以醫顯京洛間。張杲祖父張揮，字子發，從其兄學醫，嘗親受張擴指授，故其議論有據，切脉精審，爲一邦醫師之冠。張揮傳其子張彦仁，彦仁傳其子張杲，所謂三世之醫也。張杲更是醉心於醫學著述，『欲博觀遠望，弘揚醫道，凡書之有涉於醫者，必記之，輯成一部，名之曰醫説』。

醫説傾注了張杲一生之心血，他畢生致力於從歷代典籍中搜求有關醫學人物、典故、傳説、軼事、方藥、療法等的文獻。羅頊序中曾説到他與張杲見面的情况：『始見則曰已得幾事矣，再見則曰近又得幾事矣。』李以制跋曰：『今老矣，搜訪尚不輟。』其用心之勤，可見一斑。

本次影印之醫説，所據底本爲明萬曆三十七年（一六〇九）張堯德刊本，全書十卷，首載淳熙己酉（一一八九）羅頊序，後依次有嘉靖甲辰（一五四四）馮彬序、顧定芳序，萬曆三十七年（一六〇九）張堯德重刊醫説序。卷末附有嘉定甲申彭方及李以制、開禧丁卯江疇、寶慶丁亥徐杲、紹定改元諸葛興的五篇跋文。這些序、跋是了解張杲生平、著述以及醫説刊行情况的第一手資料。

醫説全書十卷，卷一僅三皇歷代名醫一門，記載自三皇迄宋代，包括炎帝神農、黄帝、華佗等共一百一十四位名家的醫迹片斷；卷二分醫書、本草、針灸、神醫四門，共七十九篇目，摘引了前代典籍中有關醫書的論述，介紹了本草的起源和基本概念、針灸醫話以及摘自史籍和筆記小説中的神醫逸聞；卷三分神方、診法、傷寒、諸風四門，凡八十三篇；卷四分勞瘵、鼻衄吐血、頭風、眼疾、口齒喉舌耳、骨哽、喘嗽、翻胃八門，計九十一篇；卷五分心疾健忘、膈噎諸氣、消渴、心腹痛、諸瘧、癥瘕、諸蟲七門，凡一百零四篇；卷六包括臟腑泄痢、腸風痔疾、癰疽、脚氣、漏、腫瘻、中毒、解毒八門，凡八十六篇；卷七分積、攧撲打傷、奇疾、蛇蟲獸咬犬傷、湯火金瘡、食忌六門，凡一百一十四篇；卷八分服餌并藥忌、疾證、論醫三門，凡六十二篇；卷九包括養生休養調攝、金石藥之戒、婦人三門，凡八十一篇；卷十爲小兒、瘡、五絶病、疝癉痹、醫功報應五門，凡九十篇。全書四十九門，凡九百餘篇。卷三至卷十主要收録的是各類雜症的醫案醫話、治法治則等。該書對資料來源，多注明出處，是一部内容豐富的醫學文獻資料匯編，其所引用宋代及宋以前文史醫藥典籍多達一百三十餘種。

醫説刊行後即廣受歡迎，影響巨大。後世醫家著述多有引用，如類編朱氏集驗方、普濟方、名醫類案、本草綱目及朝鮮的醫方類聚都曾引用醫説的內容；明代周恭撰的醫説續編、俞弁的續醫説均爲醫説的後續之作。

醫説匯集了衆多古代文獻的醫學史料，慈雲樓藏書志云其『讀之足以擴充耳目，增長識見，誠醫部中益人神智之書也』。此外，醫説還保存一些重要的與醫學相關的史料。書中收録的許多文獻今已失傳。如宋代温革的瑣碎録今已亡佚，而醫説引用其內容達三十餘條。再如醫説引用的食治通説、醫餘等書，今也已亡佚。此外，醫説引用的夷堅志、良方等書中的內容，不少爲原書佚文。醫説引用的古籍文獻對於今之校勘工作無疑也有重要價值。

醫説的刊本衆多，史志書目多有記載，現存主要版本有：①宋刻本，北京大學、南京大學圖書館藏；②明嘉靖二十二年（一五四三）張子立刊本；③明嘉靖二十三年（一五四四）上海顧定芳刻本；④明嘉靖二十五年（一五四六）沈藩校刊本；⑤明嘉靖二十九年（一五五〇）傅鳳翱刊本；⑥朝鮮活字本；⑦明萬曆三十七年（一六〇九）張堯德刊本；⑧明吴勉學刊本；⑨日本萬治二年（一六五九）據張堯德本翻刻本；⑩四庫全書本（文淵閣、文津閣本）。此外，還有數種明刊本、清宣統三年（一九一一）上海文明書局鉛印本和民國至今大陸及臺灣的影印本二十餘種，但是，民國以來的影印本所據底本僅宋刻本、四庫全書本（文淵閣、文津閣本）和顧定芳本三種。

張堯德刊本未見有影印本，經籍訪古志補遺評價此本爲『依顧定芳本而改行款字數者，然比之顧本，仍能存宋本之舊』。該版本序、跋最全，對於考察醫説的版本源流以及校勘均有重要價值。中國中醫古籍總目的『醫説』條目下記載，張堯德刊本僅首都醫科大學存一至五卷殘本。栖芬室所藏醫説爲明萬曆三十七年（一六〇九）張堯德刊本，現歸中國中醫科學院圖書館收藏，被中國中醫古籍總目漏載。有學者調查顯示，北京大學圖書館、上海圖書館亦藏有該版本，仍屬稀見，且以中國中醫科學院圖書館收藏本序、跋最爲完整。

牛亞華

醫說序

醫之伐病猶將之伐敵也夫決機戰攻之地以取勝用兵者固皆有是心及一旦爲背水陣則觀者愕然矣非有淮陰爲之辨析則孰知其出於兵法是兵之不可以無其說也兵

不可以無說醫其可以無說乎里中
張杲季明自其伯祖子充以醫顯
京洛間受知于范忠宣其祖子發
蓋學于伯祖而有得者也於是其父
彥仁繼子發而術更妙於究深微所
術固三世之醫也季明則歟博觀遠覽

弘暢其道凡書之有及於醫者必記之
名之曰醫說始見則曰已得幾事矣
再見則曰近又得幾事矣其意欲滿
千事則以傳諸人予念醫家之書本
之以素問靈樞廣之以難經脉訣而
藥之君臣佐使咸萃于本草世固不

外是而為醫也今有出一奇以起人之
死則衆必相與驚異以為昔人所未
到自明觀之其不有似於背水陣乎
故予知是書之為有益也已閱歲冬
季明携以過我且曰書雖未成請姑先
梓之以勉果之意所勿及會予有鄙

郢之後殊倥偬並念季明請甚篤又顓
顓於其業覽選宜必精故不暇之盡譔
而徒嘆其當盛年著書遽肯出與人
共之其存心有足大者豈非遠事其
祖多異聞故不以得之帝上者為己
私分也歟此予所以益重季明也遂

書以冠醫說之首己酉歲十月六日
朝奉大夫權發遣郢州羅頊序

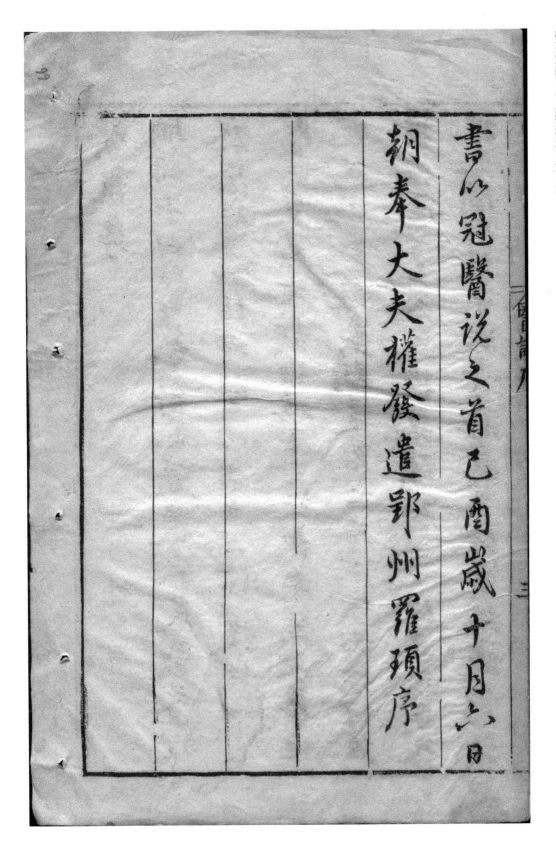

醫說序

桐岡子曰醫藝術也厥道大矣哉蓋理察陰陽機超神聖功回造化然後可以言醫醫豈易言哉伯岐述經長桑飲水華佗察脈遼哉邈矣嗣是名世之士亦必綜理經籍援索玄微然後見聞廣準繩具臨疾診視之間自得乎出奇勝應之妙不然識窺計

淺其枝末矣有宋張季明氏醫傳三世學
徹百家廼自載籍中採掇醫事百數十條
彙而成帙名曰醫説自其書觀之述源流參
類例著効驗終之以陰德報應擇物警世之
心懋矣譬諸聚千狐之腋以成裘服之者無
不知珍焉第板鏤宋世近代罕傳上海東川
顧子偶得是書以爲醫家法程給力梓之頤

子吳下宿儒博古敦行兼通醫理名重縉紳昔時余尹上海見其割田贍學通財濟族心竊重之及交往日久援其胸臆經綸志業井井有具既而遲次銓曹餘二十載乃求就醫職或者疑之余曰范文正有云不為良相當為良醫是即東川之志與蓋醫仁術而安老保幼防己濟人之道備焉况今

東川策籍內班供奉
宸極調元保昴以濟
天壽揆諸宰衡贊化之寄畀二義哉觀其刊
行是書廣惠斯世用心之仁廉直有功於季
明而已余質弱多病常親方藥入京承東川
以是書相示深喜其有備急起余之助故僭
書弁諸首云

嘉靖甲辰季秋吉海康馮彬拜書

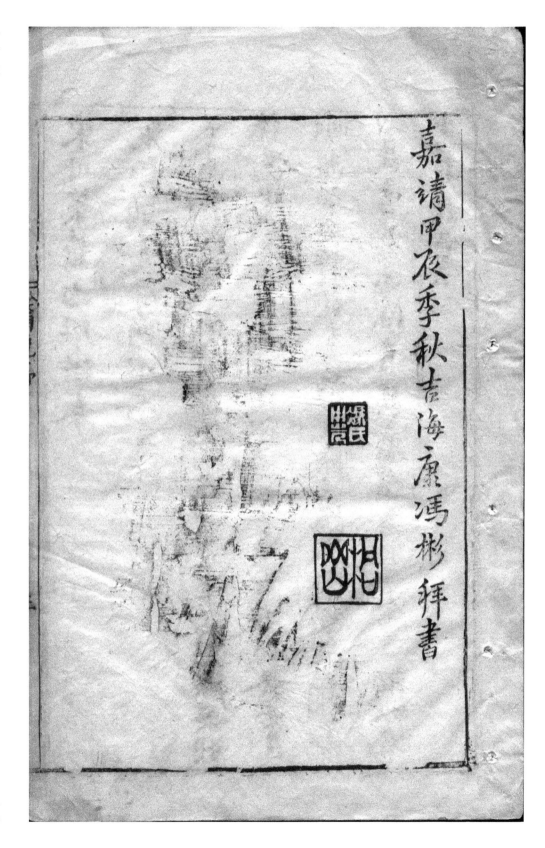

醫說十卷宋張季明杲採摭羣書類述之也夫醫之為道自三皇以來著之矣周易天人之經以發其變而素問極天人之變以闡經經其理一也周孔繼作而易之理明乃素問獨罕言之者以其變耳此聖人之義之微意也孫情疾室藥未嘗不以存素問之理是故周禮醫師其隸之天官亦以明於醫在周已知天之學也秦漢以來淳于意輩鴻術奇技

皆本之素問周秦漢魏晉諸名醫咸能診病以及國原診以知政不謂之達天人也乎唐宋之醫術衰之末流而醫道寝衰宋儒程伊川曰内經陰符非黃帝時書豈亦以其理之玄遠難言耶孫康節朱子皆曰素問醫理至矣軒岐之下無有此言如戰國策左氏傳國語呂氏春秋仲舒繁露各述吳祥氣如每本靈素不會素問貫徹遠近遠深受然異議靡

不通知能神而能之乎觀朱子康節之言則素問傳自上古無疑矣故欲知春生之道而素問不容付之不知季明氏有見於此作為醫說首序軒岐素難包括之詞以發其宗而次下歷代醫師如伊尹仲景孫思邈巢元方脈病證治之論明堂甲乙九鍼八法之用玉冊玄珠五行氣運之神互相推衍素難之秘以表醫學之源宗金南北間出河間子和潔古東垣皆

極一時醫學惟以素難為正參酌諸家而會通之其論備矣至元朱丹溪雖著發揮格致諸篇多補前人未發若心法纂要門人日記治驗耳即今所謂藥案也宋學士濂溪直以朱子集大成而頌之醫學深知丹溪者乎噫夫病或三因變態萬狀治病執方去醫遠矣醫之臨病必先明别常變常病當治可考奇變異證舉露流行非師之觀

俯察研精素難條推脉理詎能該悟玄
機幸迴生氣於九死之餘邪近世醫者
取用支罠偶獲効驗則病与醫者兩德
其功如唐之外臺秘要宋之聖濟總
錄太平良方元之錫類鈐方醫經綱目今
之奇効良方醫方選要玉機微義皆所
以羽翼素難者乃以其法繁弗之究討
其所習者懷袖珍集驗活人指掌以法纂
要陶氏全書以為醫道盡在是矣亦怠

醫說序　三

苟且之甚歟夫苟且之政害人有限苟且之醫其害何可言也定芳少困火疾長游太學吾師甬川陳文憲公委校二十一史因錄諸史暨諸小說醫方自為一編以便自治嗣得宋刻醫說甚符吾意遂圖刻之以與同志之士共焉因原季明之意而僭序之如此善乎蘇子瞻曰藥雖進于醫手方多傳于古人若已經效于世間不必皆從於己出此定芳所以刻是書之意而

不敢以爲家傳之秘也

嘉靖甲辰春三月既望上海顧定芳淺

醫話序 四

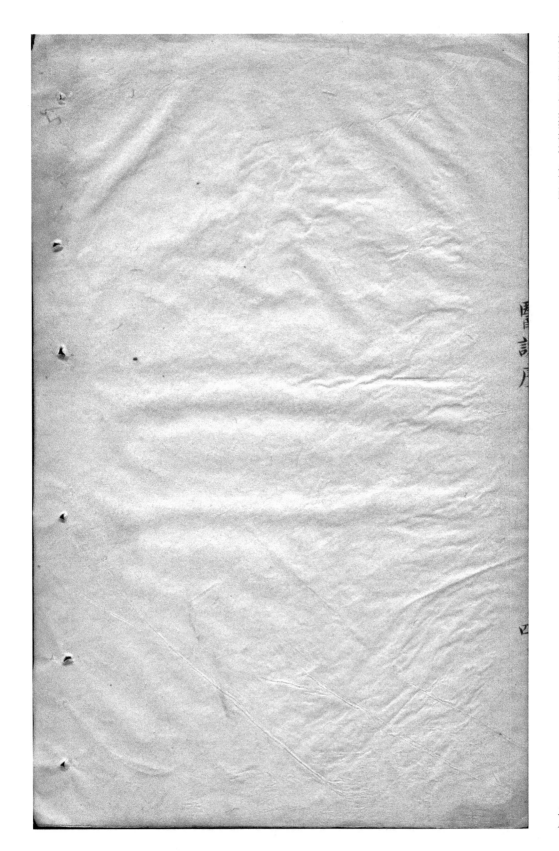

重刊醫説序

昔張宣之先生初日衷子書
嘗特編以歷禍集著仁人
之用心先生故老子謙精於醫
足利生及物無已補益集律
律好古寄吁不博凡氣焉

醫書之廣不能深探而以求
下家形之書及指　先生業讀以進
書仍以百說如滿初志而嗟其既
醫者之書通儒者之學何
以故醫能醫人而儒能醫國之美
天之究深也甚矣天之事也甚矣

於是也醒然而悟也翻然自得
也醫乎所以濟世也確然者壽之也
濟世之術雖精者之功而擴所
者之理深者豈思以其良心不
恃而不以其思之說不能者專信
醫道廣大和之心而爲邑者又所

醫說序

獨一哂之嘗以仙之術佛之心
亦書之福去回世界其乘是而
沒甚業去展耕精無也無偏
召雲囊之中噴熱之鹽曾不
呈可门其以搜术与浮自第
疵亦自况共去之窗刻也明其以

為何君題　書

萬曆己酉仲夏廣林張光直

張欽文題于獨佛為如中

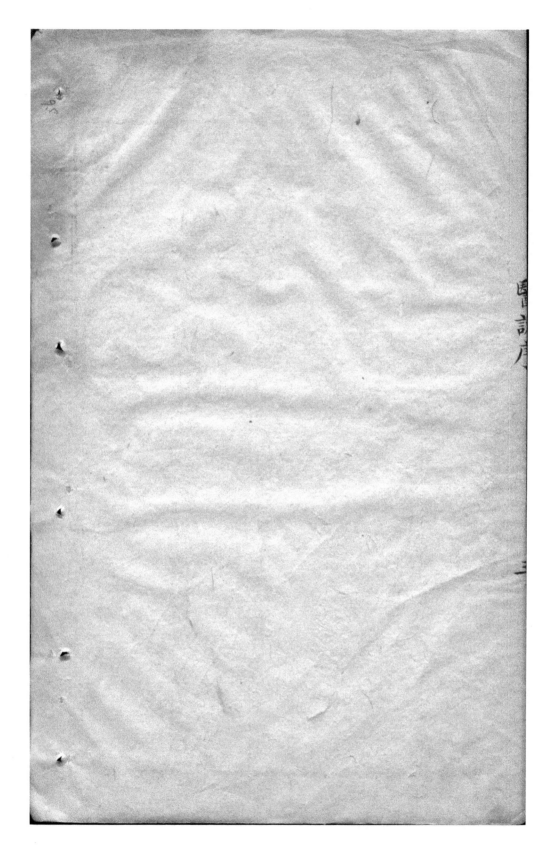

醫說卷第一

三皇歷代名醫

鳳綱　矯氏　俞氏　盧氏

扁鵲　子豹

李醯　崔文子

安期先生　樓護

公遜光　陽慶

太倉公　秦信

王遂　宋邑

馮信　高期

王禹　唐安

杜信　玄俗

張機　郭玉
程高　涪翁
沈建　張伯祖
杜度　衛沉
華佗　李當之
吳普　樊阿
封君達　韓康
董奉　負局先生
李譔　李子豫
張苗　王叔和

趙泉　葛洪
皇甫謐　裴頠
劉德　史脫
宮泰　靳邵
阮偘　張華
蔡謨　程據
支法存　仰道士
范汪　殷仲堪
王顯　徐謇
徐椎　王纂

徐熙　道度
叔嚮　薛伯宗
徐仲融　胡洽
徐文伯　徐嗣伯
僧深　劉涓子
羊昕　秦承祖
張子信　顧歡
李元忠　李密
崔季舒　祖珽
褚澄　鄧宣文

徐之才　張遠遊

陶弘景　徐之範

徐敏齊　甄權

甄立言　宋俠

許胤宗　孫思邈

張文仲　孟詵

王方慶　秦鳴鶴

許智藏　巢元方

元珠先生　王冰自號啟玄子

醫説卷第二

醫書

本草

鍼灸

鍼舌底治舌出不收

艾謂之一壯　灸背瘡

爇灸癰疽　灸瘵疾

灸欬逆法　灸鼻衄

灸牙疼法　脚氣灸風市

灸脚轉筋　三里頻灸

灸頭臂脚不宜多

灸痔疾　灸蛇毒

灸難產　灸臍風

不宜灸　因灸滿面黑氣

神醫

太醫集業　趙簡子

神醫　尸蹷

死胎　郝翁精於醫

褚澄善醫　唐與正治疾

以醫知名　耳聞風雨聲

非孕　徙癰

劉從周妙醫　拔麥中蠱

華佗醫疾　破腹取病

扁鵲見齊桓侯　文摯

醫說卷第三

神方

診法

傷寒

諸風

邪風　風厥
睡防風吹　白癩病
長松治大風　瘵風癩絕不同
食山甲動舊風疾
蘝草治風　蚺蛇治風
蛇墜酒罌治風　桑枝愈臂痛
透冰丹愈耳癢　臂細無力不任重
風眩　風癉
風獗　痺
苦偕風　癱瘓

迴風　又
手足沉重狀若風者
上氣常須服藥　熱蹶
眉髮自落

醫說卷第四

勞瘵

五勞　六極
七傷　虛勞
冷勞　勞瘧
傳勞　遇道人治傳勞方

鼻衄吐血

頭風

偏頭疼　頭眩

蹶頭熱　婦人偏頭痛

沐頭洗浴　婦人月水来不可沐頭

川芎不可久服

眼疾

目疾眼疾不可沐浴　讀書損目

眼痛不食　眼赤腫

眼疾有虛實　赤目戒食

一目失明　治眼觀音洗眼偈

口齒喉舌耳

舌脹出口　治齒痛

齲齒　飲酒漱口

嗽口食冷　棗能黄齒

齒藥　齒間内壅出

飲酒喉舌生瘡　苦參不可潔齒

齒縫血出　虎鬚治齒痛

積年耳聾

骨哽

治哽以類推　鵰砂治哽

呪水治哽　漁人治哽

喘嗽

飜胃

醫說卷第五

心疾健忘

膈噎諸氣

諸瘧

醫說卷第六

腸風痔疾

脚氣痞絶　脚氣無補法
脚心如中箭　脚氣
治閉結并脚氣　附舡愈脚氣病
脚躄　旋復根汁能續筋

漏

時康祖心漏　鱔魚癥漏
鱔漏　蟻漏
犬齧瘺得鍼　灸鼠漏
李先虱瘺

腫癭

病腫　腫

陰腫如升　小兒陰腫

小兒熱毒遊腫　婦人陰腫堅硬

脚腫　背腫

傳腫　瘿

井錫鎮瘿

中毒

中仙茅附子毒　中蕈毒

中鱔鼈蝦蟆毒　中豆腐毒

諸果有毒　中班鳩毒

解毒

解毒　蟹解漆毒
獸能解藥毒　蛛為蜂螫
保靈丹

醫説卷第七

積
傷滯用藥不同　物能去積
食藥　治積用藥

攧撲損傷
墮馬　治臂臼脫
龜獻奇方治傷折

奇疾

啖物不知飽　腸癢疾
王氏異疾　療饑蟲
小兒魃病　足面奇瘡
產後腸癢　甑氣薰面腫
蛟龍病　疑病
產婦腹中癢　食鱠吐蝦蟆
瘡破雀飛　蛇在腹中
恠石鏡　冷疾
人漸縮小　視直如曲
寒熱注病　剺腹視脾

治湯火呪　歛金瘡口

治金瘡　又

火氣入脚生瘡　漆澆成瘡

田舍試驗之法　治箭鏃不出

食忌

鼠盜食忌　淡食

飲食不可露天　雜忌

勿過食　食鼈不可食莧

食蟹反惡　銅器不可蓋食

炊湯不宜洗面體

食驢鼈漏肉之戒

食勿多飽勿臥　發暴

飲食忌　醉飲過度

黄帝襍忌法　飲食禁

食蜜不可食鮓　食河豚不可食風藥

飲食宜緩　陰地流泉不可飲

食禁　禽獸蟲魚肉異不可食

勿食生鮮　四時不食

飽勿便眠　生物食之無益

食無求飽　飲食以時

醫説卷第八

服餌并藥忌

疾證

論醫

醫說卷第九

養生修養調攝

金石藥之戒

婦人

產後癒瘧　運悶

婦人月水不通及不斷

漏下帶下崩中　四物湯之功

療師尼寡婦別製方

任氏面疾　姙子

又

醫說卷第十

小兒

小方　善醫小兒

瘡豆禁雞鴨子　小兒夜啼

瘡

五絶病

疝癉痺

醫功報應

醫以救人爲心

醫說目録終

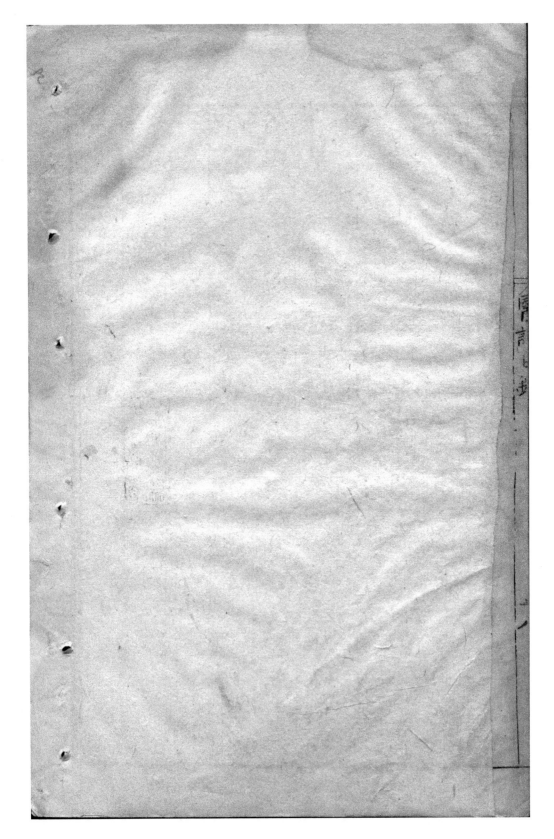

醫說卷第一

三皇歷代名醫

太昊宓犧氏

宓犧氏以木德王風姓也一曰庖犧氏亦曰太昊蛇首人身生有聖德母號華胥都於陳作瑟有三十六絃其理天下也仰則觀象於天俯則觀法於地鳥獸之文與地之宜近取諸身遠取諸物於是造書契以代結繩之政畫八卦以通神明之德以類萬物之情所以六氣六腑五臓五行陰陽水火升降得以有象百病之理得以類推炎黃因斯乃嘗百藥而制九鍼

以拯夭枉矣（出帝王世紀）

炎帝神農氏

炎帝神農氏長於姜水因而姓姜人身牛首生有聖德始教天下耕種五穀而食之以省殺生之弊嘗味草木宣藥療疾以救夭傷之命百姓日用而不知著本草四卷至梁陶弘景以名醫別錄加之為七卷逮於我唐統極英國公李勣許孝宗蘇敬宗等奉詔更復採摭去陶氏之乖違辨俗用之紕紊新脩為二十卷于今行焉（出帝王世紀及本草論序）

黃帝

黄帝有熊氏少典之子姬姓也長于姬水龍顔有聖
德生而能言役使百靈可謂天授自然之體也猶不
能坐而得道故以地黄元年正月甲子將遊名山以
求神仙時方明力牧從馬東到青丘見紫府先生受
三皇天文以效萬神至具茨而見大隗君而受神芝
圖至蓋上見中皇真人受九茄散方至羅霍見黄蓋
童子受金銀方十九首適崆峒而問廣成子受以自
然經造峨眉山並會地黄君受以真一經入金谷問
導養而質玄素二女著體診則問對雷公岐伯伯高
少俞之論備論經脉傍通問難以為經教制九鍼著

内外術經十八卷陟王屋山王闕之下清齋三日乃登於王闕之上入瓊琳臺於金杌之上得玄女九鼎神丹飛香爐火之道乃於茅山採禹餘糧烹之得銅遂還荊山之下鼎湖之上參爐定藥虎豹萬群爲之視火九鼎神丹成有黃龍下迎黃帝上昇群臣後宮從上者七十餘人其小臣不得上乃悉持龍髯拔墮帝弓萬姓仰望帝既上昇乃抱其弓與髯而號故後世因名其處爲鼎湖其弓名烏號出帝王世紀太清皇帝九鼎丹經

巫彭

巫彭初作醫周官曰五穀五藥養其病五氣五聲五

色視其生觀之以九竅之變參之以五臟之動遂有五毒攻之以五藥療之以五氣養之以五味節之以祛百病（出史記及周書）

巫咸

巫咸堯臣也以鴻術爲帝堯醫又出世本曰巫咸初作筮（出郭璞巫咸山序及世本）

岐伯

岐伯黄帝臣也帝使岐伯嘗味草木典主醫疾經方本草素問之書咸出焉（出帝王世紀）

俞跗

俞跗者黄帝臣也善醫術所治病不以湯液醪醴鑱石撟引案杌毒熨一撥見病之應因五臟之輸乃割皮解肌決脉絡筋搦髓腦揲荒爪幕湔浣腸胃漱滌五臟鍊精易形以去百病焉史記

桐君

桐君者黄帝時臣也撰藥封四卷及採藥録説其花葉形色論其君臣佐使相須至今傳焉出本草經序論

雷公

雷公者黄帝時臣也善醫術黄帝燕坐召雷公而問之汝受術誦書者若能覽觀雜學別異比類通合道

理務明之可以十全若不能知為世所怨又曰子知醫之道乎誦而頗能觧觧而未能別別而未能明明而未能彰足以治羣僚不足以治侯王雷公避席再拜曰臣年幼小蒙愚以惑不聞臣受業傳之以教請誦脉經上下篇衆多矣至於別異比類由未能以十全又安足以明之云素問

伯高　少俞

伯高少俞並黄帝時臣未詳其姓輔佐黄帝詳論脉經對揚問難經究盡義理以為経論故人到于今頼之素問

馬師皇

馬師皇者黃帝時獸醫也善知馬形氣生死之診治之輒愈後有龍下向之垂耳張口師皇曰此龍有病我能已之也乃鍼其唇及口中以甘草湯飲之而愈又數數有龍出其陂造而治之一旦龍負之而去不知所之也列仙傳

秦長桑君

長桑君者六國時人不知何許人也時人莫有識者扁鵲少時為人舍長舍客長桑君過扁鵲心自奇異之常謹以禮遇長桑君亦知扁鵲非常人也乃悉取

其禁方書盡與扁鵲（出史記）

醫緩

醫緩者春秋時秦人也未詳其姓晉悼公病求醫於秦伯伯使醫緩治之未至公夢二竪子相謂曰彼良醫也懼傷我焉將逃之其一曰我居肓之上汝居膏之下若我何緩至謂公曰疾不可為也在肓之上膏之下攻之不可達之不及（達為鍼也）藥不至焉不可為也公曰良醫也厚禮而歸之（出左傳）

醫和

醫和者春秋時秦國人未詳其姓晉侯有病求醫於

秦伯伯使醫和視之曰疾不可為也是謂近女室疾蠱非鬼非食惑以喪志喪志為惑女色良臣將死天命不祐謫孟曰良醫也厚其禮而歸之並春秋左氏傳

文摯

文摯者春秋時宋國良醫也洞明醫道亦兼異術龍叔子謂之曰子之術微矣吾有疾子能已之乎文摯則命龍牀背明而立文摯從後向明而熟視之曰嘻吾見子之心矣方寸之地虛矣幾聖人也子心六孔流通一孔不達令聖智為疾惑由此乎治之遂愈

醫竘

醫竘者秦之良醫也莫知其姓張子背腫命竘治之張子謂之曰非吾背也任子制焉治之遂愈夫身之與國而猶此也必有所委然後治之出尹子

鳳綱

鳳綱者漢陽人也常採百草花水漬之瓮盛封泥自正月始迄九月末又取瓮埋之百日煎九之卒死者以此藥内口中水下之皆生服綱藥者非但疾差數百歲不死没入地肺山仙去也出神仙傳

矯氏　俞氏　盧氏

矯氏俞氏盧氏並周之良醫也出列子及初學記

扁鵲

扁鵲者渤海鄭人也（徐廣曰鄭當爲鄚鄚縣名今屬河間）姓秦名越人至今天下言脈者由扁鵲也（出史記）

子豹

子豹者秦越人弟子號太子死扁鵲乃使弟子子陽厲鍼砥石以取三陽五會有間太子蘇扁鵲乃使子豹爲五分之熨以八減之齊和煑之以熨兩脅下太子遂能起坐焉（出史記）

李醯

李醯爲秦太醫令自知伎不如扁鵲遂密使人刺殺

之（出史記）

崔文子

崔文子者秦時太山人也志好黃老事居潛山下後作黃散赤丸藥賣之都市自言年三百餘歲後有疫氣人死者萬萬計長史請文子救之文子擁朱旛繫黃散以巡人間飲散服丸即愈所活者以萬計其後去之蜀賣藥故世人云崔文子赤丸黃散近於神也（出列仙傳）

安期先生

安期先生者琅琊鄉人也賣藥海邊時人謂之千歲

公李少君太山採藥病困殆死遇安期安期與之神樓散服一錢匕遂愈秦始皇聞之召見與語三日三夜賜金璧數千萬出於阜鄉亭皆置之而去出列仙傳

樓護

漢樓護字君卿齊人也父為醫護少誦經方本草秘方十萬言長老咸敬重之共謂之曰以吾子之才何不宦學乎由是辭其父學經為京兆令甚有名譽漢書

公孫光

公孫光齊淄川唐里人也好醫術為當時所重初淳于意就光家求學光悉以教之曰所授妙方子無以

教人意曰得禁方實幸甚死不敢妄傳光曰爾後必爲國工吾方盡矣臨淄陽慶其方甚奇異吾不如之可謹事之必得其方意遂辭光而事慶焉出史記

陽慶

陽慶山東齊人也傳黄帝扁鵲之脉書診病知人死生

太倉公

太倉公者齊太倉長臨淄人也姓淳于氏名意少而喜醫方術高后八年得見師臨淄元里公乘陽慶慶有古先道遺傳黄帝扁鵲之書五色診病知人生死

决嫌疑定可治及藥論書甚精悉受其禁方

秦信

秦信者不知何許人也少明敏有度量好經方本草及黄帝扁鵲之脉書為當代良醫

王遂

王遂不知何郡人少習經方工於理療以藝業精博為齊王侍醫

宋邑

宋邑者臨淄人也率性愛人志尚醫術號齊太倉公長淳于意學五診脉論之術為當世良醫並史記

馮信

馮信齊臨淄人也為齊太倉長性好醫方精於診處而臨淄王猶以其識見未深更令就淳于意學方意教以按法逆順論藥法定五味及和劑湯法信受之擅名於漢出史記

高期

高期不知何許人也入仕為濟北王太醫王以期術藝未精遣就倉公淳于意學經脉高下及奇絡結當論俞所居及氣當上下出入邪正逆順以宜鑱石刺灸之法歲餘亦頗通之乃以此知名

王禹

王禹不知何郡人以藝術爲濟北王太醫以識見未精就倉公意學數歲悉通以此知名漢代

唐安

唐安齊臨淄人也言貌謹恭風儀溫雅性好醫術就倉公學意教以五診上下經脉奇咳四時應陰陽之法乃爲齊醫

杜信

杜信不知何郡人也性度溫恭謙柔好學知自身之病乃悉心學醫自歎扶危持顛兼以安人濟衆遂詣

倉公求學情理甚懇意憐之教以上下經脉五診之法二歲餘亦以知名漢代（並史記）

玄俗

玄俗者莫知其姓字也自言河間人恒食巴豆雲母賣藥於都市為人治病河間王買藥服之下蛇十餘頭王問其病源俗云王病乃六世餘殃非王所知也緣王常放乳鹿仁感天心故遭俗耳王欲以女妻之俗夜亡去不知所之後有人見於常山之下焉（列仙傳）

張機

後漢張機字仲景南陽人也受術于同郡張伯祖善

於治療尤精經方舉以孝廉官至長沙太守後在京師為名醫於當時為上手時人以為扁鵲倉公無以加之也出何顒別傳及甲乙經仲景方論序

郭玉

郭玉太醫丞廣漢人也和帝試玉之診使嬖臣美手者與宮人雜處帷中令玉診之玉曰左陽右陰非一女之脉也帝甚奇之後漢書

程高

程高廣漢人也性好經方問道無倦有一藝長於已者必千里伏膺闇涪翁善醫術及鍼經診脉尋求積

年竟乃得之擅名當代為太醫丞（後漢書）

涪翁

涪翁者不知姓名釣於涪水因號涪翁精於醫術所治病不限貴賤皆摩踵救之而不求其報甚為當代所重（後漢書）

沈建

沈建丹陽人也父為長吏而建獨好道不肯仕宦學導引服食之術延年却老之法又能治病病無輕重建治輒愈建斷穀不食輕舉飛行或去或來如此三百餘年乃絕跡不知所之（出神仙傳）

張伯祖

張伯祖南陽人也志性沉簡篤好方術診處精審療皆十全爲當時所重同郡張仲景異而師之因有大譽出張仲景方序論

杜度

杜度不知何許人也仲景弟子識見宏敏器宇冲深淡於驕矜尚於救濟事仲景多獲禁方遂爲名醫出仲景方

衛沉

衛沉不知何郡人也仲景弟子知書疏有小才撰四

逆三部厥經及婦人胎臟經小兒顱顖經方三卷皆其所制知名當代出仲景方

華佗

華佗字元化沛國譙人也洞曉醫方兼善養性之術年百餘歲而貌有壯容時人謂之仙魏志列傳

李當之

李當之者不知何許人也華佗弟子少通醫經尤精藥術出梁七録

吴普

吴普廣陵人也為華佗弟子以藝術知名姓恬淡善

醫方年九十餘而耳目聰明牙齒完堅知名當代（梁七錄）

樊阿

樊阿彭城人受術於華佗遂為名醫（出張湛養生論華佗別論）

封君達

青牛道士封君達隴西人也服黃連五十餘年又入鳥鼠山服汞百餘歲後還鄉里視之如年三十者常騎青牛聞有疾病殆死者無論識與不識以藥治之應手而愈後入玄丘山仙去（神仙傳及博物志）

韓康

韓康字伯休京兆灞陵人常採藥於名山賣於長安市口不二價三十餘年時有女子從康買藥守價不移女子曰公是韓伯休耶乃不二價康嘆曰我本避名女子皆知有我何用藥為遁入灞陵山中莫知所之出高士傳

董奉

董奉字君異侯官人也為人治病病愈令種杏五株輕者一株數年之間杏有十萬杏熟以穀一器易一器杏以所得穀賑濟貧乏奉在人間近二百年顏貌若三十許一旦舉手指天竦身入雲出葛洪神仙傳

負局先生

負局先生吳人也莫知其姓名負石磨鏡人有疾苦即出紫丸赤丸與服無不差後大疫家至户到與藥活數萬餘人不取錢去時語人曰吾欲還蓬萊山為汝曹下神水崖頭一旦有水色白從石間流下服多愈疾（出列仙傳）

李譔

李譔字欽仲梓童涪人也通五經諸子無不該覽博好醫方為庶子遷僕射中散大夫後在官卒（蜀志）

李子豫

李子豫晉時不知何郡人也少善醫方當代稱其通靈許永為豫州刺史其弟患心腹堅痛十餘年殆死忽自夜聞屏風後有鬼謂腹中鬼曰何不促殺之不然李子豫當從此過以赤丸打殺汝汝其死矣腹中鬼對曰吾不畏之於是許永使人候子豫子豫果來未入門病者自聞腹中呻吟聲及子豫入視曰鬼病也遂於其篋出八毒赤丸與服須臾腹中雷鳴膨轉大利數行遂差今八毒丸方是也出續搜神記

張苗

張苗不知何郡人雅好醫術善消息診處為時所重

出晉書

王叔和

王叔和高平人也博好經方尤精診處洞識攝養之道深曉療病之源採摭群論撰成脉經十卷篇次張仲景方論為三十六卷大行于世出張湛養生方

趙泉

趙泉不知何許人性好醫方拯救無倦善療衆疾於瘧尤工為時嘆服出晉書

葛洪

葛洪字稚川丹陽句容人也廣覽衆書及諸史百家

之言下至短雜文章近淂萬卷自號抱朴子善養性之術明拯救之法撰經效諸藥方三卷名曰肘後出晋中興書

皇甫謐

皇甫謐字士安幼名静安宣朝郡人也沉静寡欲始有高尚之志以著述為務自淂風痺疾因而學醫習覽經方手不輟卷遂盡其妙

裴顗

裴顗字逸之河東人也多學術善醫經診處通明方藥精富于時名醫傾學咸皆嘆伏官至尚書左僕射

並晉書

劉德

劉德彭城人也少以醫方自達長以才術知名當朝搢紳伏膺附響工治衆疾於虛勞不足尤見精通療之隨手而愈由是承流向風千里而来者多矣官至太醫校尉

史脫

史脫不知何郡人噐性沉毅志行敦簡善診候明消息多辯論以醫精專拯療工奇拜太醫校尉治黃疸最為高手

宫泰

宫泰不知何郡人幼而岐嶷長而聰敏静好墳典雅尚方術有一藝長於已者必千里尋之善診諸疾療上氣尤異制三物散方治喘嗽上氣甚有異效世所貴焉

靳邵

靳邵不知何許人也性明敏有才術本草經方誦覽無不通究裁方治療意出衆見創置五石散礬石散方晋朝士大夫無不服餌獲異效焉

阮偘

阮偘字德如陳留尉氏人也幼而聰惠長而好學性沉靜有大度以秀才為郎游心方伎無不通會於本草經方療治之法尤所耽尚官至河內太守（以上出晉書）

張華

張華字茂先范陽方城人也學業優博辭藻溫麗精於經方本草診論工奇理療多效（出晉書及徐廣晉紀）

蔡謨

蔡謨字道明不知何許人也素以儒道自達治溢知名性有道風耽尚醫術嘗覽本草經方手不釋卷及授揚州刺史將之任渡江食蟹誤中彭蜞毒殆死嘆

曰讀爾雅不熟為勤學所誤焉出晉紀

程據

程據不知何許人志性沉毅雅有度量少以醫術知名為太醫令晉中興記

支法存

支法存者嶺表僧人也幼慕空門心希至道而性敦方藥尋覓無厭當代知其盛名自永嘉南渡晉朝士夫不襲水土所患皆脚弱惟法存能拯濟之出千金方序

仰道士

仰道士嶺表僧人也少以聰惠入道長以醫術關懷

因晉朝南移衣纓士類不襲水土皆患軟腳之疾染者無不斃踣而此僧獨能療之天下知名焉千金方序論

范汪

范汪字玄平不知何郡人少孤年六歲過江依外家新野庾氏賓于園中布衣蔬食燃薪寫書畢讀誦亦遍遂博通百家之言性仁愛善醫術嘗以拯恤為事凡有疾病不以貴賤皆治之所活十愈八九晉中興書

殷仲堪

陳仲堪陳郡人父病積年衣不解帶躬學醫方究其精妙出晉書

王顯

王顯字世隆滎陽平人也以醫術自達而明敏有文昭皇后之懷世宗夢爲日所逐化爲龍而遶后后寤而驚悸遂成心疾勅召諸醫及顯爲后診脉徐謇言是微風入藏宜進湯藥及加鍼灸顯診云按三部非有心疾將是懷孕生男之象果如顯言乃補御史出後漢書

徐謇

徐謇字成伯丹陽人也與兄文伯皆善醫謇性祕忌承奉不得意雖貴如王公不爲措療魏孝文遷洛除

中散大夫文伯事南齊位至太山蘭陵守出南齊史及後魏書

徐雄

徐雄謇之子也為員外散騎侍郎醫術為江左所稱至雄子之才貴盛贈太常卿兗州刺史齊史

王纂

王纂者海陵人少習經方尤精鍼石遠近知其盛名出劉敬叔異苑

徐熙

徐熙字秋夫不知何郡人時為射陽令善醫名聞海内

道度

道度熙之長子也器宇宏深節行清敏少精醫術長有父風位至蘭陵太守

叔嚮

叔嚮熙之次子也志性溫恭敏而好學善於政理尤工醫術官至太山太守並宋書

薛伯宗

薛伯宗不知何許人善以禁氣治人病出宋書及吳均齊春秋

徐仲融

徐仲融不知何郡人為濮陽太守性好黃老隱秦望

山有道士過之求飲因留一葫蘆遺之曰君習之子孫當以道術救世位至二千石仲融開視乃扁鵲鏡經一卷因精心學之名振海内仕至濮陽太守

胡洽

胡洽道士不知何許人性尚虛靜心栖至道以拯救為事醫術知名

徐文伯

徐文伯字德秀東陽人也為太山太守素有學行篤名醫術

徐嗣伯

徐嗣伯東陽人也文伯之弟志節慷慨超然不群少負其才雅有異術而性行仁愛經方診訣占候靡不詳練悉心拯救不限貴賤皆摩踵救之多獲奇效特為當代所稱並宋書

僧深

僧深齊宋間道人也少以醫術知名療脚弱脚氣之疾為當時所伏撰録法存諸家舊方三十餘卷經用多效時人號曰深師方千金方序論

劉涓子

劉涓子不知何許人晉末於丹陽郊外夜射忽有一

物高二丈許因射而中之走如電激聲若風雨夜不敢追明日率門人弟子鄰巷數十人尋其踪跡至山下見一小兒問曰何姓小兒云主人昨夜爲劉涓子所射取水以洗瘡因問小兒主人是誰答曰是黄父鬼乃將小兒還來至聞擣藥聲遥見三人一人臥一人開書一人擣藥即齊聲叫突而前三人並走遺一帙癰疽方并一臼藥時涓子得之從宋武帝北征有被瘡者以藥塗之隨手而愈論者謂聖人作事天必助之蓋天以此授武帝也涓子用方爲治千無一失演爲十卷號曰鬼遺方（出龔慶宣鬼遺方序）

羊昕

羊昕字敬元不知何許人志好文儒性敦方藥蒞事詳審診療精能以拯濟功竒累遷中散大夫義興太守

秦承祖

秦承祖不知何郡人也性耿介有決斷當時名人咸所歸伏而尊好藝術精于方藥不問貴賤皆治療之當時稱之為上手並宋書

張子信

張子信河内人也清静好文學少以醫術知名太寧

中徵為尚藥典御出齊書

顧歡

顧歡字玄平吳郡人也隱於會稽山陰白石村歡率性仁愛素有道風或以禳厭而多所全護有病邪者以問歡歡曰君家有書乎曰唯有孝經可取置病人枕邊恭敬之當自差如言果愈問其故曰善禳惡正勝邪吳均齊春秋

李元忠

李元忠驃騎大將軍兼中書令晉陽縣伯趙郡栢仁人也初以母老多患遂通集方術志性仁恕疾病療

之無問貴賤北齊書

李密

李密殿中尚書濟川刺史容城縣侯食邑四百戶字希邕平棘人也密方直有至行母病積年不愈乃習經方遂盡其妙多所全獲由是知名

崔季舒

崔季舒字叔正博陵安平人少孤明敏有識幹涉獵經史愛好文章長於尺牘有經世才精於醫術經方本草嘗所披覽不限貴賤皆拯治之北齊書

祖珽

祖珽字孝徵范陽酋人也博學善屬文尤長於醫術北齊書

褚澄

褚澄齊尚書吳郡太守字彦通雅有才量博好經方善醫術診處工候究盡其疾病療之無貴賤皆先審其苦樂榮悴鄉壤風俗水土所宜氣血強弱然後裁方用藥至於寡婦僧尼必有異乎妻妾之療

鄧宣文

鄧宣文不知何許人少以醫術知名志性方直除太醫尚藥典御並北齊書

徐之才

徐之才金紫光祿大夫開府儀同三司尚書令西門郡王字士茂高平金鄉人幼而俊發酬應如響善醫有機辯武明皇太后不豫之才奉藥立愈蕭宗召與全坐令皇太子拜之贈帛千段錦四百疋車馬衣服上利田園千畝張太素齊書

張遠遊

張遠遊齊人也以醫藥道術知名舁有詔徵令與術士同合九轉金丹丹成顯祖置之玉匣曰貪人間樂不能飛上天待我臨死方可服同上

陶弘景

梁陶弘景貞白先生字通明丹陽人母郝氏夢兩天人手執香爐來至其所旣而有孕以孝建三年夏至日生幼而警慧博學通經有志養生性好醫方專於拯濟利益群品故修撰神農本草經三卷（出梁書及藝文襍類）

徐之範

徐之範儀同大將軍太常卿恒山太守嗣西陽王即北齊之才之弟也亦以醫術知名官至太常卿襲兄爵為西陽王齊滅入周拜儀同大將軍（後周書）

徐敏齊

徐敏齋太常卿之範之子也工醫博覽多藝開皇中贈朝散大夫出隋書

甄權

甄權許州扶溝人常以母病與弟立言專習醫方遂究其妙

甄立言

甄立言權之弟也俱以母病專心習醫遂盡其妙武德中累遷太常丞御史大夫杜淹患風毒發腫太宗令立言治之既而奏曰更二十一日午時死果如其言

宋侠

宋侠者不知何郡人也性明敏有學術於經方本草尤所敦尚竟以醫術知名

許胤宗

許胤宗常州義興人初仕陳為新蔡王外兵參軍時柳太后感風不能言脉益沉而噤胤宗曰口不下藥宜以湯氣蒸之令藥入腠理周時可差遂造黄耆防風湯數十斛置床下氣如烟霧如其言便得語由是超拜義興太守並唐史

孫思邈

孫思邈雍州華原人七歲就學日誦千言善談莊老百家之說性好醫術但是經方無不該覽撰千金等方行于世

張文仲

張文仲洛州洛陽人以醫術著名文仲則天時爲侍御醫尤善療風疾則天令撰療諸方奏曰風有一百二十種氣有八十種大抵雖同人性各異唯氣頭風則隨發動臨時消息之但有風氣之人春末夏初秋暮淂通洩即不至困劇

孟詵

孟詵者汝州梁人也以進士擢第垂拱初累遷鳳閣舍人少好方術以藥餌為事撰補養方必效方行於世

王方慶

王方慶太原人也雅有才度博學多文篤好經方精於藥性

秦鳴鶴

秦鳴鶴不知何許人也為高宗侍醫竝唐史

許智藏

許智藏高陽人幼嘗以母疾博覽醫方世號名醫往

陳為散騎侍郎會秦孝王俊有疾上馳召之夜夢其亡妃崔氏泣曰本來相迎聞許智藏將至其人若到當必相苦為之柰何明夜俊又夢崔氏曰妾得計矣當入靈府中避之智藏至為俊診脉曰疾已入心即當發癇不可救也果如其言出隋書

巢元方

巢元方不知何許人也大業中為太醫博士奉詔撰諸病源候論五十卷罔不該集宋宣獻撰巢氏病源序

元珠先生出仙傳

元珠先生不知何許人隱顯莫測惟太濮令王冰識

其為異人乃師事之元珠洞明素問究極微奥家授妙旨教冰五臟六氣修煉養生之法草石性理祛邪去疾神方由是冰乃註大經素問至一為醫家宗範

玉冰自號啟玄子

玉冰寶應中為太濮令篤好醫方得先師所藏太素及全元起者大為次註素問合八十一篇二十四卷且序曰將升岱岳非逕奚為欲詣扶桑無舟莫適乃精勤博訪而并友其人歷十二年方臻理要詢謀得失深遂夙心 出林光禄素問序

醫説卷第一 終

醫説卷第二

醫書

醫書

皇甫謐帝王世紀曰黄帝命雷公岐伯教制九鍼著内外經素問之書咸出焉黄帝内傳曰帝昇爲天子鍼經脉訣無不備也故金匱甲乙之類皆祖黄帝

黄帝與岐伯問難

黄帝御極坐明堂之上臨觀八極考建五常以謂人生負陰而抱陽食味而被色寒暑相盪喜怒交侵乃與岐伯上窮天紀下極地理遠取諸物近取諸身更

相問難雷公之倫授業傳之而内經作矣蒼周之興秦和述六氣之論具明於左史厥後越人得其一二演述難經西漢倉公傳其舊學東漢仲景撰其遺論晉皇甫謐次爲甲乙隋楊上善纂爲太素唐王冰篤好之大爲次註林億素問序

素問惟八卷

班固曰内經十八卷素問即其經之九卷兼靈樞九篇乃其數焉雖年代移革而授學猶存懼非其人時有所隱故第七一卷師氏藏之今之奉行惟八卷爾周有和緩漢有淳于魏有張公華公皆得斯道妙者

也王冰素問序

醫之起

帝王世紀曰黃帝使岐伯主典醫藥以療衆疾說文曰巫彭初作醫呂氏春秋亦曰巫彭作醫

方書所出

世諸方書藥法雖損益隨時大抵祖述黃帝如脈經之出於晉王叔和病源之出於隋巢元方湯液經之出於商伊尹傷寒論出於漢張機千金備急出於唐孫思邈外臺秘要出於唐王珪皇朝太平集天下名方爲太平聖惠其餘紛紛無代無之高氏小史曰炎

帝作藥方以救時疫事物紀原

難經

帝王世紀曰黃帝命雷公岐伯論經脉旁通問難八十一為難經楊元操難經序曰黃帝八十一難經者秦越人所作接黃帝内經一秩秩九卷其義難究越人乃採精要八十一章為難經同上

陸宣公裒方書

陸宣公在忠州裒方書以度日非特假此以避禍蓋君子之存心無所不用其至也前輩名士往往能醫非惟衛生亦可及物而今人反耻言之近時士大夫

家藏方或集驗方流布甚廣皆仁人之用心本草單方近已刻於四明及本朝諸公文集雜說中名方尚多未見有類而傳之者予屢欲為之恨藏書不廣儻有能用予言集以傳諸人亦濟物之一端也

本草

百藥自神農始

淮南子曰神農始嘗百草之滋味當此之時一日而遇七十毒世本曰神農和藥濟人則百藥自神農始也世紀或云伏羲嘗味百草非也梁陶弘景本草序

曰神農氏王天下宣藥療疾以拯夭傷高氏小史曰炎帝嘗百藥以治病嘗藥之時百死百生帝王世紀曰炎帝嘗味草木宣藥療疾著本草四卷至梁陶弘景唐李世勣等註叙為二十卷 皇朝開寶中重校定

仁宗嘉祐中命掌禹錫等集類諸家叙藥之說為補注本草唐書于志寧傳志寧云班固惟記黄帝內外經不載本草梁七録乃稱之世謂神農嘗藥黄帝以前文字不傳以識相付至桐雷乃載篇冊然所載郡縣多漢時張仲景華佗竄記其語梁陶弘景吳書應

與素問同類其餘多與志寧之說同也事物紀原

藥有君臣佐使

藥有君臣佐使大抵養命之藥則多君養性之藥則多臣療病之藥則多佐使猶依本性所主而兼復斟酌詳用此者益當為善

用藥增減

千金方云夫衆疾積聚皆起於虛虛生百病積者五臟之所積聚者六腑之所聚如斯等疾多從舊方不假增減虛而勞者其弊萬端宜應隨病增減聊復審其冷熱記其增損之主耳虛勞而頭痛復熱加枸杞

萎蕤；虛而欲吐，加人參；虛而不安，亦加人參；虛而多夢紛紜，加龍骨；虛而多熱，加地黃、牡礪、地膚子、甘草；虛而冷，加當歸、芎藭、乾薑；虛而損，加鍾乳、棘刺、蓯蓉、巴戟天；虛而大熱，加黃芩、天門冬；虛而多忘，加茯神、遠志；虛而驚悸不安，加龍齒、沙參、紫石英、小草，若冷則用紫石英、小草，若客熱則用沙參、龍齒，不冷不熱皆用之；虛而口乾，加麥門冬、知母；虛而吸吸，加胡麻、覆盆子、栢子仁；虛而多氣兼微咳，加五味子、大棗；虛而身強，腰中不利，加磁石、杜仲；虛而多冷，加桂心、吳茱萸、附子、烏頭；虛而勞，小便赤，加黃芩；虛而客熱，加地骨皮白水黃芪（白水地名）虛而冷用隴西黃芪虛而痰復有氣用生薑半夏枳實虛而小腸利加桑螵蛸龍骨鷄肶胵虛而小腸不利加茯苓澤瀉虛而損溺白加厚朴諸藥無有一一歷而用之但據體性冷熱的相主對聊叙增損之一隅夫據方者宜準此

藥有宣通補洩

藥有宣通補洩輕重澀滑燥濕此十種者是藥之大體而本經都不言之後人亦未述遂令調合湯丸有昧於此者至如宣可去壅即薑橘之屬是也通可去滞即通草防已之屬是也補可去弱即人參羊肉之

屬是也洩可去祕即葶藶大黃之屬是也輕可去實即麻黃葛根之屬是也重可去怯即磁石鐵粉之屬是也澁可去脫即牡蠣龍骨之屬是也滑可去著即冬葵榆皮之屬是也燥可去濕即桑白皮赤小荳之屬是也濕可去枯即紫石英白石英之屬是也只如此體皆有所屬凡用藥者審而詳之則靡所遺失矣

本草黑白字

滕元發云一善醫惟取本草白字藥用之多驗蘇子容云黑字者多後漢人益之

藥有陰陽配合

本草云凡天地萬物皆有陰陽大小各有色類尋究其理並有法象故毛羽之類皆生於陽而屬於陰鱗介之類皆生於陰而屬於陽所以空青法木故色青而主肝丹砂法火故色赤而主心雲母法金故色白而主肺雌黃法土故色黄而主脾磁石法水故色黑而主腎餘皆以此推之例可知也

誤註本草

張文潛好食蟹晚苦風痺然嗜蟹如故至剔其肉滿貯巨榼而食之嘗作詩云世言蟹毒甚過食風乃乘風淫為末疾能敗股與肱我讀本草書美惡未有憑

筋絕不可理蟹續牢如絙骨萎用蟹補可使無崩騫
凡風待火出熱甚風迺騰中言若遇蟹其快如霜氷
俗傳未必妄但恐殊愛憎本草起東漢要之出賢能
雖失諒不遠堯跖終殊稱書生自信書俚說徒營營
文潛為此詩殆嗜蟹之僻而為之辯耶抑真信本草
也如河豚之目并其子凡血皆有毒食者每剔去之
其肉則洗滌數十過候色如雪方敢烹故梅聖俞詩
云烹炰苟失所入喉為鏌鋣而大觀本草乃云河豚
性溫無毒所謂注本草誤而能殺人者殆類此也

藥名之異

本草一物而有數名者詳載本經至有日常用之藥乃有異名一時難以尋討今直指其名表而出之庶有益於後學牡蒙乃紫參衛矛即鬼箭紫葳今凌霄花蘹香子即茴香也莎草根今香附子是北亭砂乃硇砂茗苦搽者茶也無食子没石子是南燭枝今烏飯葉菰根茭筍也惡實即牛蒡子蠡實即馬藺淫羊藿即仙靈脾假蘇是荊芥葫是大蒜牙子乃狼牙馬勃乃馬屁菌也商陸即當陸根敗天公人戴竹笠之敗者薰陸香乳香也訶梨勒初未成實風吹之墜地謂之隨風子太平廣記載南威橄欖也石蜜櫻桃也

盧橘枇杷也木蜜棗也壓塵也葱白涼青熱通九竅韭白暖地之羊肉青涼閉九竅菉服乃蘿蔔小草即遠志葉半天河竹籬頭水也署預今之山藥神屋即龜甲五靈脂寒號虫糞也芰實菱也烏芋即慈菇發休即紫荷車浮石載石蟹條下塡火草即景天也

鍼灸

鍼灸之始

帝王世紀曰太昊畫八卦以類萬物之情六氣六腑五臟五行陰陽四時水火升降淂以有象百病之理得以有類乃制九鍼又曰黄帝命雷公岐伯教制九

鍼蓋鍼灸之始也

明堂

今醫家記鍼灸之穴為偶人點誌其處名明堂按銅人俞穴圖序曰昔黄帝問岐伯以人之經絡窮妙於血脉參變乎陰陽盡書其言藏於金蘭之室洎雷公請問乃坐明堂以授之後世言明堂者以此（並事物紀原）

妙鍼獺走

宋人王纂海陵人少習經方尤精鍼石遠近知其盛名宋元嘉中縣人張方女日暮宿廣陵廟門下夜有物假作其壻来女因被魅惑而病纂為治之始下一

鍼有獺從女被內走出病因而愈 劉敬叔異苑

鍼蒭愈鬼

徐熙字秋夫不知何郡人時為射陽少令善醫方名聞海內常夜聞鬼呻吟聲甚淒苦秋夫曰汝是鬼何所需荅曰我姓斛名斯家在東陽患腰痛死雖為鬼而疼痛不可忍聞君善術願相救濟秋夫曰汝是鬼而無形云何厝治鬼曰君但縛蒭為人索孔穴鍼之秋夫如其言為鍼腰四處又鍼肩井三處設祭而埋之明日一人來謝曰蒙君醫療復為設祭病除飢解感惠實深忽然不見當代稱其通靈長子道度次子

妙獨皆精其術焉唐史

鍼愈風手

唐甄權許州扶溝人常以母病與弟立言專習醫方遂究其妙隋開皇初為祕書省正字後稱疾除魯州刺史庫狄嶔苦患風手不得引諸醫莫能療權謂曰但將弓箭向垛一鍼可以射矣鍼其肩髃一穴應時愈貞觀中年一百三歲太宗幸其家視其飲食訪以藥性因授朝散大夫賜几杖衣服其修撰脉經鍼法明堂人形圖各一卷至今行用焉同上

許希善鍼

天聖中　仁宗不豫國醫進藥久未效或薦許希善用鍼者召使治之三鍼而疾愈所謂興龍穴是也　仁宗大喜遽命官之賜予甚厚希善既謝上復西北再拜　仁宗怪問之希善曰臣師扁鵲廟所在也　仁宗嘉之是時孔子之後久失封爵故顔大初作許希詩以諷之於是詔訪孔子四十七代孫襲封文宣王　皇朝類苑

鍼法

善用鍼者從陰引陽從陽引陰以右治左以左治右以我知彼以表知裏

鍼愈風眩

秦鳴鶴爲侍醫高宗苦風眩頭重目不能視武后亦幸災異逞其志至是疾甚召鳴鶴張文仲診之鳴鶴曰風毒上攻若刺頭出少血即愈矣天后自簾中怒曰此可斬也天子頭上豈是試出血處耶上曰醫之議病理不加罪且吾頭重悶殆不能忍出血未必不佳命刺之鳴鶴刺百會及腦戶出血上曰吾眼明矣言未畢后自簾中頂禮拜謝之曰此天賜我師也躬負繒寶以遺鳴鶴

鍼鼻生贅

狄梁公性好醫藥尤妙鍼術顯慶中應制入關路傍大牓云能療此兒酬絹千疋有富室兒鼻端生贅如拳石綴鼻根蒂如筋痛楚危亟公為腦後下鍼疣贅應手而落其父母輦千縑奉焉公不顧而去集異說

筆鍼破癰

李王公主患喉癰數日痛腫飲食不下纔召到醫官言須鍼刀開方得潰破公主聞用鍼刀哭不肯治痛逼水穀不入忽有一草澤醫曰某不使鍼刀只用筆頭蘸藥癰上霎時便潰公主喜遂令召之方而次上藥遂潰出濃血一盞餘便寬而日瘡無事令傳其方

醫曰乃以鍼繫筆心中輕輕劃破其潰散爾別無方言醫者意也以意取效爾名醫録

鍼瘤巨虱

臨川有人瘤生頰間癢不可忍每以火烘炙則差止已而復然極以患苦醫者告之曰此真虱瘤也當剖而出之取油紙圍項上然後施砭瘤才破小虱涌出無數最後一白一黑兩大虱皆如豆殼中空空無血與頰了不相干略無瘢痕但瘤所障處正白爾丁志

善鍼

無爲軍張濟善用鍼得訣於異人能觀解人而視其

經絡則無不精因歲飢疫人相食凡視一百七十人以行鍼無不立驗如孕婦因仆地而腹偏左鍼右手指正久患脫肛鍼頂心而愈傷寒反胃嘔逆累日食不下鍼眼背立能食皆古今方書不著陳瑩中為作傳云藥王藥王為世良醫嘗草木金石名數凡十萬八千悉知酸鹹淡甘辛等味故從味因悟入蓋知今醫家別藥口味者古矣（邵氏聞見録）

捫腹鍼兒

朱新仲祖居桐城時親戚間有一婦人姙孕將產七日而子不下藥餌符水無不用待死而已名醫李幾

道偶在朱公舍朱引至婦人家視之李曰此百藥無所施惟有鍼法吾藝未至此不敢措手爾遂還而幾道之師龐安常適過門遂同謁朱朱告之故曰其家不敢屈公然人命至重公不能惜一行救之否安常許諾相與同往才見孕者即連呼曰不死令其家人以湯温其腰腹閒安常以手上下摩之孕者覺腸胃微痛呻吟閒生一男子母子皆無恙其家驚喜拜謝敬之如神而不知其所以然安常曰兒已出胞而一手誤執母腸胃不復能脫故雖投藥而無益適吾隔腸捫兒手所在鍼其虎口兒既痛即縮手所以遽生

無他術也試令耿兒視之右手虎口有鍼痕其妙如此泊宅編

鍼急喉閉

於大指外邊指甲下根齊鍼之不問男女左右只用人家常使鍼鍼之令血出即效如大段危急兩手大指都鍼之其功甚妙庚志

砭石

砭石謂以石爲鍼也山海經曰高氏之山有石如玉可以爲鍼則砭石也

刺誤中肝

督郵徐毅得病華佗往省之毅謂佗曰昨使醫曹吏劉祖鍼胃脘訖便苦咳嗽欲臥不安佗曰刺不得胃脘誤中肝也食當日減五日不救如佗言

九鍼

九鍼上應天地陰陽一天二地三人四時五音六律七星八風九野一鍼皮二鍼肉三鍼脉四鍼筋五鍼骨六鍼調陰陽七鍼益精八鍼除風九鍼通九竅除三百六十五節氣一鑱鍼二員鍼三提鍼四鋒鍼五鈹鍼六員利鍼七毫鍼八長鍼九大鍼

工鍼

僧海淵閩人也工鍼砭天禧中入吴楚游京師寓相國寺中書令張士遜疾國醫拱手淵一鍼而愈由是知名既老歸蜀范景仁賦詩餞之云舊鄉山水遠禪扃日日山光與水聲歸去定貪山水樂不教寬夢到神京治平二年化去張唐英貽以偈曰言生本不生言滅本不滅覺路自分明勿與迷者説劉季孫銘其塔曰資身以醫有聞於時餘幣散之拯人於危君子所難嗟乎師

鍼舌底治舌出不收

王況字子亨本士人爲南京宋毅叔[illegible]家壻既以醫

名擅南北況初傳其學未精薄遊京師甚悽然會鹽
法忽變有大賈覩揭示失驚吐舌遂不能復入經旬
食不下咽尫羸日甚國醫不能療其家憂惧榜於市
曰有治之者當以千萬為謝況利其所售之厚姑往
應其求既見賈之狀忽發咲不能制心以謂未易措
手也其家怪而詰之況謬為大言荅之曰所咲者輦
轂之大如此乃無人治此小疾耳語主人家曰試取
鍼經來況謾檢之偶有穴與其疾似是者況曰爾家
當勒狀與我萬一不能治則勿尤我當為鍼之可立
效主病者不得已亦從之急鍼舌之底抽鍼之際其

人若委頓狀噴剌舌遂伸縮如平時矣其家大喜謝之如約又為之延譽自是翕然名動京師既小康始得盡心肘後之書卒有聞於世事之偶然有如此者況後以醫得幸宣和中為朝請大夫著全生指迷論一書醫者多用之王明清餘話

艾謂之一壯

醫用艾一灼謂之一壯以壯人為法也其[illegible]若干壯壯人當依此數老幼羸弱量力減之類苑

灸背瘡

京師萬勝門剩員王超忽覺背上如有瘡隱起倩人

看之已如盞大其頭無數或教往梁門裡外科金龜兒張家買藥張視嚬眉曰此瘡甚惡非藥所能治只有灼艾一法庶可冀望萬分然恐費力乃撮艾與之曰且歸家試灸瘡上只怕不疼直待灸疼方可療爾灼艾十餘殊不知痛妻守而哭之至第十三壯始大痛四傍惡肉捲爛隨手墮地卽似稍愈再詣張謝張付藥數貼數日安則知癰疽發於背脅其捷法莫如灸也類編

蒜灸癰疽

凡人初覺發背欲結未結赤熱腫痛先以濕紙覆其

上立視候之其紙先乾處則是結癰頭也取大蒜切成片如當三錢厚薄安其頭上用大艾炷灸之三壯即換一片蒜痛者灸至不痛不痛者灸至痛時方住最要早覺早灸為上一日二日十灸十活三日四日六七活五六日三四活過七日不可灸矣若有十數頭作一處生者即用大蒜研成膏作薄餅鋪頭上聚艾於蒜餅上燒之亦能活也若背上初發赤腫一片中間有一粟米大頭子便用獨頭蒜切去兩頭取中間半寸厚薄正安於瘡上卻用艾於蒜上灸二七壯多至四十九壯 江寧府紫極觀因掘得石碑載之

灸瘵疾

女童莊妙真緣姊坐瘵疾不起餘孽亦駸駸見偶趙道人過門見而言曰汝有瘵疾不治何耶荅曰柰了多少藥勿効趙曰吾得一法治此甚易當以癸亥夜二更六神皆聚時解去下體衣服於腰上兩傍微陷處鍼灸家謂之腰眼直身平立用筆點定然後上床合面而臥每灼小艾炷七壯勞蟲或吐出或瀉下即時平安斷根不發更不傳染敬如其教因此獲生類編

灸欬逆法

予族中有病霍亂吐利垂困忽發欬逆半日之間遂

至危殆有一客云有灸欬逆法凡傷寒及久疾得欬逆皆為惡候投藥皆不効者灸之必愈予遂令灸之火至肌欬逆已定元豐中予為鄜延經略使有幕官張平序病傷寒已困一日官屬會飲通判延州陳平裕忽言張平序已屬纊求往見之予問何遽至此云欬逆甚氣已不屬予忽記灸法試令灸之未食頃平裕復来喜笑曰一灸遂差其法乳下一指許正與乳相直骨間陷中婦人即屈乳頭度之乳頭齊處是穴艾炷如小荳許灸三壯男灸左女灸右只一處火到肌即差若不差則多不救矣良方

灸鼻衄

徐德占教衄者急灸項後髮際兩筋間宛宛中三壯立止蓋血自此入腦注鼻中常人以線勒頸後尚可止衄此灸決效無疑同上

灸牙疼法

隨左右所患肩尖微近後骨縫中小舉臂取之當骨解陷中灸五壯予目覩灸數人皆愈矣灸畢項大痛良久乃定永不發予親病齒痛百方治之皆不驗用此法遂差同上

脚氣灸風市

蔡元長知開封正據案治事忽覺如有虫自足心行至腰間即墜筆暈絕久之方甦掾屬云此病非俞山人不能療趣使呼之俞曰是真腳氣也法當灸風市為灸一壯蔡晏然復常明日疾如初再呼俞曰欲除病根非千艾不可從其言灸五百壯自此遂愈仲兄文安公守姑蘇以鑾輿巡幸虛府舍暫徙吳縣縣治卑濕旋感足痺痛掣不堪忍服藥勿效乃用所聞灼風市肩隅曲池三穴終身不復作僧普清苦此二十年每發率兩月用此灸二十一壯即時痛止其他蒙此力者不一而足夷堅志

灸腳轉筋

岐伯灸法療腳轉筋時發不可忍者灸腳踝上一壯内筋急灸内外筋急灸外

三里頻灸

若要安三里莫要乾患風疾人宜灸三里者五臟六腑之溝渠也常欲宣通即無風疾

灸頭臂腳不宜多

如灸頭上穴灸多令人失精神臂腳穴灸多令人血脉枯竭四肢細而無力既復失精神又加於細即令人短壽

灸痔疾

唐峽州王及郎中充西路安撫司判官乘驢入駱谷及宿有痔疾因此大作其狀如胡瓜貫於腸頭熱如煻煨火至驛僵仆主驛吏言此病某曾患來須灸即差用柳枝濃煎湯先洗痔便以艾灸其上連灸三五壯忽覺一道熱氣入腸中因大轉瀉先血後穢一時至痛楚瀉後遂失胡瓜登騾而馳（本事方）

灸蛇毒

朝野僉載記毒蛇所傷用艾灸當齧處灸之引去毒氣即差其餘惡虫所螫馬汗入瘡用之亦效

灸難產

張文仲灸婦人橫產先手出諸般符藥不捷灸婦人右脚小指頭尖頭三壯炷如小麥大下火立産

灸臍風

樞密孫公抃生數日患臍風已不救家人乃盛以盤合將送諸江道遇老媪曰兒可活即與俱歸以艾炷臍下遂活青箱記

不宜灸

凡婦人懷孕不論月數及生產後未滿百日不宜灸之若絶子灸臍下二寸三分間動脉中三壯女子居

門不灸（出千金方）

因灸滿面黑氣

有人因灸三里而滿面黑氣醫皆以為腎氣浮面危候也有人云腎經有濕氣上蒸於心心火得濕成煙氣形於面面屬心故心腎之氣常相通如坎之外體即離離之外體即坎心腎未常相離也耳屬水其中虛則有離之象目屬火其中滿則有坎之象抑可見矣以去濕藥治之如五苓散防已黃蓍之類皆可用

醫餘

神醫

太醫集業

國家以文武醫入官蓋爲養民設未有不自學古而淂之者學古之道雖别而同爲儒必讀五經三史諸子百家方稱學者醫者之經素問靈樞是也史書即諸家本草是也諸子難經甲乙中藏太素是也百家鬼遺龍樹金鏃刺要銅人明堂幼幼新書産科保慶等是也儒者不讀五經何以明道德性命仁義禮樂醫不讀靈素何以知陰陽運變德化政令儒不讀諸史何以知人才賢否淂失興亡醫不讀本草何以知名德性味養生延年儒不讀諸子何以知崇政衛教

學識醇疵醫不讀難素何以知神聖工巧妙理與義儒不讀百家何以知律曆制度休咎吉凶醫不讀雜科何以知脉穴骨空奇病異證然雖如是猶未為博況經史之外又有文海類集如漢之班馬唐之韓柳及我 大宋文物最盛難以槩舉醫文漢有張仲景華佗唐有孫思邈王冰等動輒千百卷其如 本朝太平聖惠乘閑集效神巧萬全備見崇文名醫別錄

三因方

趙簡子

扁鵲傳趙簡子病五日不知人大夫皆懼於是召扁

鵲入視之曰血脉滯也而何怪昔秦穆公常七日如此而寤寤而告公孫子輿曰我夢之帝所甚樂帝告我晉國將亂五世不安其後將霸未老而死霸者之子且令而國男女無別後獻公之亂文公之霸而襄公敗秦師於殽而歸縱淫今主君之病與之同不出三日疾必閒閒必言矣居二日半簡子寤史記

神醫

陳昭遇者嶺南人善醫隨劉鋹歸朝後為翰林醫官所治疾多愈世以為神醫絕不讀書詰其所習不能答嘗與所親曰我初來都下持藥囊抵軍壘中日閱

數百人其風勞冷氣之候皆黙然識之然後視其長幼虛實按古方用湯劑鮮不愈者實未嘗尋脉訣也莊周所謂懸解董遇以為讀書百遍義自見豈是之謂歟皇朝類苑

尸蹷

虢太子死扁鵲曰太子病所謂尸蹷者也夫以陽入陰中動胃繵緣中經維絡別下於三焦膀胱是以陽脉下遂陰脉上爭會氣閉而不通陰上而陽內行下內鼓而不起上外絶而不為使上有絶陽之絡下有破陰之紐破陰絶陽之色已廢脉亂故形靜如死狀

太子未死也夫以陽入陰支蘭臟者生以陰入陽支蘭臟者死凡此數事皆五臟蹷中之時暴作也良工取之拙者疑殆扁鵲乃使弟子子陽厲鍼砥石以取外三陽五會有間太子蘇乃使子豹為五分之熨以八減之劑和煑之以更熨兩脇下太子起坐更適陰陽但服湯二旬而復故故天下盡以扁鵲為能生死人扁鵲曰越人非能生死人也此自當生者越人能使之起爾史記

死胎

李將軍妻病甚呼華佗視脉曰傷娠而胎不去將軍

言聞實傷娠胎已去矣佗曰按脉胎未去也將軍以為不然佗舍去婦稍小差百餘日復動更呼佗佗曰此脉故事有胎前當生兩兒一兒先出血出甚多後兒不及生母不自覺旁人亦不寤不復迎遂不得生胎死血脉不復歸必燥着母脊故使多脊痛今當與湯并鍼一處此死胎必出湯鍼既加婦痛急如欲生者佗曰此死胎久枯不能自出宜使人探之果得一死男手足完具黑長可尺所佗之絕技凡此類也三國魏志

郝翁精於醫

郝翁者名允博陵人少代其兄長征河朔不堪其役遁去月夜行山間憊甚憩一樹下忽有大羽禽飛止其上熟視之一黃衣道士也允拜手乞憐道士曰汝郝允乎因授以醫術晚遷鄭圃世以神醫名之遠近之人賴以活者四十餘年非病者能盡活之也蓋其術精良可信不幸而不可治必先語之雖死亦無恨於脉非獨知已病能前知未病與死近者頃刻遠者累年至其日皆無失歲常候測天地六元五運考四方之病前以告人亦無失皇祐中翁死張峋子堅誌其墓曰夏英公病泄太醫皆為中虛翁曰風客於胃

則泄殆藁本湯證也英公驗曰吾服金石等藥無數泄不止其敢飲藁本乎翁強進之泄止邵氏聞見錄

褚澄善醫

南史曰褚澄善醫術建元中為吳郡太守百姓李道念以公事到郡澄見謂汝有重病答曰舊有冷病至今五年衆醫不差澄為診謂曰汝病非冷非熱當是食白瀹雞子過多所致令取蒜一升煑服仍吐一物如升涎裹之動開看是雞雛羽翅爪距具足能行走澄曰此未盡更服所餘藥又吐得如向者雞十三頭而病都差當時稱妙

唐與正治疾

唐與正少年得脉法於臨安醫者黃澤繼又得藥法於太學生夏德懋所召紫霞仙遇人有奇疾多以意治其姪女年數歲得風痺疾先發於臆迤邐上赤腫痛痒醫以上膈風熱治之不效唐診之曰是肝肺風熱盛極耳以升麻羌活荊芥鼠粘子赤芍藥淡竹葉桔梗乾葛八物治之自下漸退而腫聚於頂其高數寸雖飲食寢處無妨而疾未去也唐母吳夫人曰此女乳母好飲熱酒至并歠其糟疾殆因是歟唐方悟所以至頂不消之由思之唯乾葛消酒且能療火

毒乃於先方加葛三倍使服之二日腫盡失去從舅吳巡檢病不得前溲卧則微通立則不能消滴醫遍用通小腸藥窮技巧弗驗唐因其侄孫大用來問吳常日服藥何曰叔祖常服黑錫丹問何人結砂曰自為之唐洒然悟曰是必結砂時鉛不死硫黃飛去鉛砂入膀胱卧則偏重猶可溲立則正塞水道以故不能通令取金液丹三百粒分為十服煎瞿麥湯下之膀胱得硫黃積鉛成灰從水道下猶累累如細砂病遂愈葛之消酒硫黃之化鉛皆載經方苟不知病源[illegible]方從事未見其可也夷堅志

以醫知名

成州團練使張鋭字子綱以醫知名居於鄭州政和中蔡魯公之孫婦有娠及期而病國醫皆以為陽證傷寒懼胎之墮不敢投涼劑魯公密邀鋭視之鋭曰兒處胎十月將生矣何藥之能敗即以常法與藥且使倍服之半日而兒生病亦失去明日婦大泄而喉閉不入食衆醫復指言其疵且曰二疾如水炭又產蓐甫近雖扁鵲復生無活理也鋭曰無庸憂將使即日愈乃入室取藥數十粒使吞之咽喉即通下泄亦止逮滿月魯公開宴自諸子諸孫及婦女甥壻合六

十人請鋭為客公親酌酒為壽曰君之術通神吾不敢知敢問一藥而治二疾何也鋭曰此於經無所載特以意處之向者所用乃附子理中丸裹以紫雪爾方喉閉不通非至寒藥不為用既已下咽則消釋無餘其得至腹中者附子力也故一服而兩疾愈公大加嘆異盡斂席上金匕箸遺之刑部尚書慕容彥逢為起居舍人母夫人病亦召鋭於鄭至則死矣時方六月暑將就木鋭欲入視彥逢不忍意其欲求錢乃曰道路之費悉當奉償實不煩入鋭曰傷寒法有死一晝夜復生者何惜一視之彥逢不得已自延入悲

哭不止銳揭面帛注視呼仵匠語之曰若嘗見夏月死者面色赤乎曰無然則汗不出而厥爾不死也幸無亟斂趣出取藥命以水二升煑其半灌病者戒曰善守之至夜半大瀉則活矣銳舍於外館至夜半時守病者覺有聲勃勃然遺屎已滿席出穢惡物斗餘一家盡喜遽敲門呼銳銳應曰吾今日體困不能起然亦不必起明日方可進藥也天且明出門若將便旋然逕命駕歸鄭彥逢請其室但留平胃散一貼而已其母服之竝日良愈蓋銳以彥逢有求錢之疑故不告而去紹興中流落入蜀王秬叔堅問之曰公之

術古所謂十全者幾是歟曰未也僅能七八耳吾長子病診脉察也皆為熱極命煑承氣湯欲飲之將飲復疑至于再三將遂飲如有掣吾肘者姑持杯以待兒忽發顫悸覆錦衾至四五始稍定汗下如洗明日而脫然使吾藥入口則死矣安得為造妙世之庸醫學方書未知萬一自以為是吁可懼哉夷堅志

耳聞風雨鼓

孫兆殿丞治平中間有顯官權府尹忘其名氏一日坐堂决事人吏環立尹耳忽聞風雨鼓角聲顧左右曰此何州郡也吏對以天府尹曰若然吾乃病耳遽

召孫公往馬公診之乃留藥治之翌日尹如故尹召孫問曰吾所服藥切類四物飲孫曰是也尹曰始慮為太患服此藥立愈其故何也孫曰心脉太盛腎脉不能歸耳以藥凉心經則腎脉復歸乃無恙孫之醫出於衆人皆如是衆人難之孫則易之衆人易之孫則難之真世之良醫也青箱集

非孕

潘璟字温叟名醫也虞部員外郎張咸之妻孕五歲南陵尉富昌齡妻孕二歲團練使劉彞孫妾孕十有四月皆未育温叟視之曰疾也凡醫妄以為有娠爾

於是作大劑飲之虞部妻墮肉塊百餘有眉目狀昌齡妻夢二童子色漆黑倉卒怖悸疾走而去彛孫妾墮大蛇猶蜿蜒不死三婦人皆無恙屯田郎中張謹妻年四十餘而天癸不至溫叟察其脉曰明年血潰乃死既而果然又賞江令王霽夜夢與婦人謳歌飲酒晝不能食如是三歲溫叟治之疾益平則婦人色益沮飲酒易怠而謳歌不樂久之遂無所見溫叟曰疾雖衰然未愈也如夢男子青巾而白衣者則愈矣後果夢則能食夷堅志

南史曰薛伯宗善徙癰公孫泰患背伯宗爲氣封之徙置齋前柳樹上明日而癰消樹邊便起一瘤如拳大稍稍長二十餘日瘤大膿爛出黄赤汁升餘樹爲之痿損太平御覽

劉從周妙醫

韶州曲江人劉從周妙於醫術有自得之見著書十篇大抵與世俗異其論痢疾云常人以白痢爲冷證赤痢爲熱證故所用藥如冰炭其實不然但手足和煖則爲熱當煎粟米湯調五苓散繼服感應丸二十粒即愈手足厥冷則爲寒當服已寒丸之類凡治痢

當以此別之初不問赤白也如盛夏蒸熱有傷寒冒暑二證若熱有進退則為冒暑一向熱不止則為傷寒當以此別之

拔麥中蠱

有人家女病腫以榜召醫皆不識馬嗣明問病由云嘗以手拔麥穗即有一小赤物長二尺許似蛇入其手指中因驚對即覺手臂疼腫月餘漸及半身肢節俱腫痛不可忍嗣明處方治之皆愈劉穎叔異苑

華佗醫疾

華佗沛國譙人通養性之術年且百歲而猶有壯容

時人以為仙精於方藥處劑不過數種心識分銖不假稱量鍼灸不過數處若疾發結於内鍼藥所不能及者乃令先以酒服麻沸散既醉無所覺因刳破腹背抽割積聚若在腸胃則斷截湔洗去疾穢而縫合付以神膏四五日瘡愈一月之間皆平復

破腹取病

華佗傳一士大夫不快佗曰君病深當破腹取然君壽亦不過十年病不能殺君忍病十歲壽俱當盡不足故自刳裂士大夫不忍痛癢必欲除之佗遂下手所患尋瘥十年竟死並魏志

扁鵲見齊侯

扁鵲過齊初見齊桓侯曰君有疾公不應後又見之曰君有病乃可治之公曰卿欲治無病之人以求其功後又見公越人便走數日病發召越人越人曰初見君病在皮膚鍼灸所及再見君病在血脉湯藥所及今見君病在骨髓司命亦無奈何後數日桓侯乃薨

文摯

文摯齊人也齊威王病發使召文摯摯至謂太子曰王病怒即愈王若即殺臣奈何太子曰無慮吾當救

之文摯於是不時來見王及來不脫履而登床王大怒使左右持下將烹之后及太子扣頭請救王怒遂解赦摯因此病愈六國時人並史記

董奉

董奉候官人也時交州刺史杜爕中毒藥而死奉以太一散和水沃爕口中須臾乃蘇爕自說初死時有一車門直入一處內爕於土窟中以土塞之俄頃聞太一使至追杜爕遂開土窟爕得出

華佗

華佗字元化善養生之術廣陵太守陳登患胸煩滿

面赤不食使人請華佗佗曰府君胃中有虫欲成盖
盖腥物之所為作湯令登服之遂吐三升許虫虫頭
皆赤半身猶是生膾佗曰此病必更再發若值良醫
乃可拔之後果發佗不在病發遂卒

臟氣已絶

縣吏尹世苦四肢煩口中乾不欲聞人聲小便不利
佗曰試作熱食得汗則愈不汗後三日死即作熱食
而不汗出佗曰臟氣已絶於內當啼哭而絕果如佗
言並魏志

病有六不治

驕恣不論於理一不治輕身重財二不治衣食不能適三不治陰陽并臟氣不定四不治形羸不能服藥五不治信巫不信醫六不治有一於此則重治難也千金方引史記

隨俗為醫

扁鵲名天下過邯鄲聞貴婦人即為帶下醫過雒陽聞周愛老人即為耳目痺醫來入咸陽聞秦人愛小兒即為小兒醫隨俗為變

扁鵲兄弟三人

鶡冠子云扁鵲兄弟三人並醫魏文侯問孰最扁鵲

曰長兄視色故名不出家仲兄神毫毛故名不出閭

臣鍼人血脉投人毒藥故名聞諸侯

豎傷脾

濟北王召淳于意診脉諸女子侍者至女子豎豎無病意告永巷長曰豎傷脾不可勞法當春嘔血死王曰得毋有病乎意對曰豎病重在死法中王召視之其顏色不變以為不然春豎捧劔從王之側王去豎後令人召之即仆於厠嘔血死病得之流汗流汗者同法病内重毛髮而色澤脉不衰此亦関内之病也

并史記

病狂

蘄水縣高醫龐安時治病無不愈其處方用意幾於古人自言心解初不從人授也蘄有富家子竊出游值鄰人有鬬者排動屋壁富人子大驚懼疾走惶惑突入市市方陳刑尸富人子走仆尸上因大驚到家發狂性理遂錯醫巫百方不能已龐爲劑藥求得絞囚繩燒爲灰以調藥一劑而愈龐得他人藥嘗之入口即知其何物及其多少不差也張右史明道雜志

肝氣暫舒

四明僧奉真良醫也天章閣待制許元爲江淮發運

使奏課于京師方欲入對而其子病亟瞑而不食惙
惙欲逾宿矣使奉真視之曰脾已絕不可治死在明
日元曰觀其病勢固知其不可救今方有事須陛對
能延數日之期否奉真曰如此自可諸臟皆已衰唯
肝臟獨過脾為肝所勝其氣先絕一臟絕則死若急
瀉肝氣令肝氣衰則脾少緩可延三日過此無術也
乃投藥至晚乃能張目精稍復啜粥明日漸蘇而能
食元甚喜奉真笑曰此不足喜肝氣暫舒爾無能為
也後三日果卒筆談

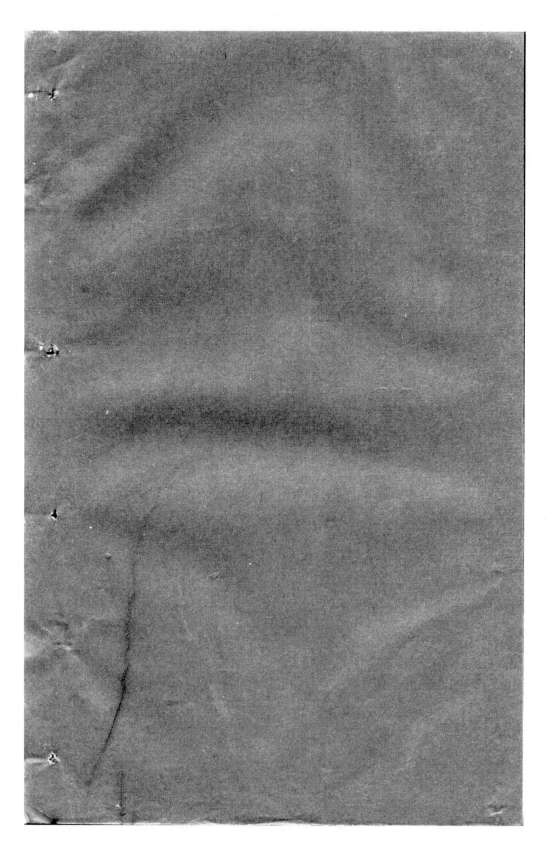

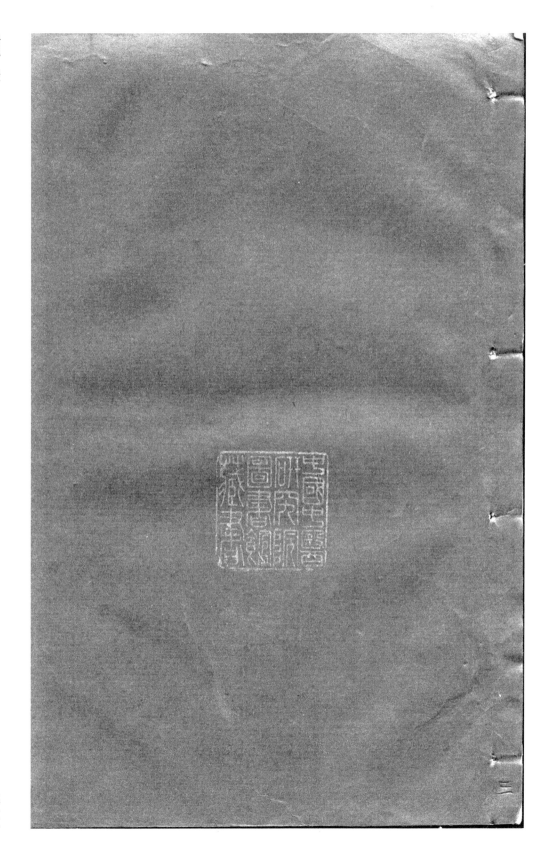

醫説卷第三

神方

夢獲神方

虞雍公并甫紹興二十八年自渠州守召至行在憩北郭外接待院因道中冐暑得泄痢疾連月重九日夢至一處類神仙居一人被服如仙官延之坐視壁間有韻語藥方一紙讀之數遍其詞曰暑毒在脾濕氣連脚不瀉則痢不痢則瘧獨煉雄黃蒸餅和藥甘草作湯服之安樂别作治療醫家大錯夢回尚能記即録之蓋治暑泄方也如方服遂愈夷堅志

夢藥愈眼疾

饒州民郭端友精意事佛紹興乙亥之冬募衆紙筆緣自出力以清旦靜念書華嚴經期滿六部乃止癸未之夏五部將終忽兩目失光翳膜障蔽巫醫鍼刮皆無功自念唯佛力可救次年四月晦誓心一日三時禮佛觀音願於夢中賜藥或方書至五月六日夢皂衣人告曰汝要眼明用獺掌散熊膽丸則可明日遂詣市藥但得獺掌散點之不效後於道藏獲觀音治眼熊膽丸方舉室驚喜即依方市藥旬日乃成服之二十餘日藥盡眼明至是年十月平復如初卯日

接書前恍感靈應特異增為十部乃止今睟子瞭然外人病目疾者服其藥多愈藥用十七品南熊膽一分為主黄連蜜蒙花羌活各一兩半防已二兩半草龍膽蛇蜕地骨皮大木賊仙靈脾皆一兩瞿麥旋復花甘菊花皆半兩蕤仁二錢半麒麟竭一錢蔓青子一合同為細末以羯羊肝一具煮其半焙乾雜於藥中取其半生者去膜爛研入上件藥杵而丸之桐子大飯後米飲下三十丸諸藥修治無別法唯木賊去節蕤仁用肉蔓青水淘蛇蜕炙云夷堅志

觀音治痢

李景純傳有一婦人久患痢將死夢中觀音菩薩授此方服之遂愈用木香一味細末米飲調服（本草）

人参胡桃湯

洪輯居溧陽縣西寺事觀音甚敬幼子佛護病痰喘醫不能治凡五晝夜不乳食證危甚又呼醫杜生診視曰三歲兒抱病如此雖扁鵲復生無如之何爾輯但憂泣辦凶具而其母以嘗失孫愁悴尤切輯益窘懼投哀請禱于觀音至中夜妻夢一婦人自後門入告曰何不服人参胡桃湯覺而語輯輯灑然悟曰是兒必活此盖大士教爾急取新羅人参寸許胡桃

肉一枚不暇剥治煎爲湯灌兒一蜆殼許喘即定再進遂得睡明日以湯剥去胡桃皮取浄肉入藥與服喘復作乃即如昨夕法治之信宿有瘳此藥不載於方書蓋人參定喘而帶皮胡桃則斂肺也予以淳熙丁未四月有痰疾之撓因晚對上宣諭使以胡桃肉三顆生薑三片臨卧時服之畢即飲湯三兩呷又再嚼桃薑如前數且飲湯勿行動即就枕既還玉堂如恩指敬服旦而嗽止痰不復作輯之事亦類此云己志

懸癰

穀道外腎之間所生癰毒名爲懸癰醫書所不載世

亦罕有知者初發唯覺甚癢狀如松子大漸如蓮實四十餘日後始赤腫如胡桃遂破若破則大小便皆自此去不可治矣其藥用橫紋大甘草一兩截長三寸許取山澗東流水一大盌井水河水不可用以甘草蘸水文武火慢炙不可性急須用三時久水盡為度擘視草中潤然後為透剉以無灰酒兩椀煑侯至一半作一服溫服之初未便效驗二十日始消未破者不破可保安平雖再進無害興化守姚康朝正苦此癰衆醫拱手兩服而愈

神授乳香飲

吳大昔以泥補葺善神後因結屋墜梯折傷腰勢殊亟夢神來云汝昔嘗救我我不敢忘授以乳香飲其方用酒浸虎骨敗龜黃耆牛膝萆薢續斷乳香七品覺而能記即與子買藥散服之一旬愈起

夢張王藥愈癰

時康祖為廣德宰事張王甚敬舉家不食豬肉後授温倅下體抱疾小愈左乳復生癰繼又胷臆間結核其大如拳堅如石荏苒半歲百藥皆不能施已而寖劇臂腋徹于肩痛楚特甚亟禱王祠下夢間語曰若要安但用薑自然汁製香附服之可也夢覺呼其子

檢本草視之二物治證相符訪醫者張棣亦云有理遂用香附去毛薑汁浸一宿為末二錢米飲調才数服瘡膿流出腫硬漸消自是獲愈庚志

救疫神方

靖康二年春京師疫氣大作有異人書一方於齋舍凡因疫發腫者服之無不效其方黑豆二合炒令香熟甘草二寸炙黄以水二盞煎其半時時呷之同上

治吐血

秀州進士陸迎忽得疾吐血不止氣蹷驚顫狂躁跳躍雙目直視至深夜欲拔户而出如是兩夕諸醫遍

用古方及草澤單方拯療不瘳舉家哀訴所事觀音夢授一方但服一料當永除根本用益智一兩生珠二錢青皮半兩麝一錢碾細末燈心湯調陸覺取筆記之明日治藥隨手而愈同上

吕真人治目疾

江陵傅氏家貧鬻紙為業性喜雲水見必邀迎小閤塑吕僊翁像朝暮焚香敬事甚謹雖妻子不許入一日有客方巾布袍入共語曰適有百金邀傅飲傅目昏多淚客教用生熟地黄切焙椒去目及閉口者微炒三物等為末蜜丸桐子大五十丸鹽米飲空心下

傅如方治藥不一月目明夜能視物享年八九十耳
目聰明精力如少年辛志

驚風妙藥

趙周氏之子三歲忽驚風掣瘲體如反張弓不納乳
食四肢盡冷衆醫莫能措手族弟善信來云邑主簿
李賡藏一方療此證如神急求併力治藥才合就便
以擦兒齒少頃作嚏咳聲手稍轉動自夜至旦灌兩
餅從此平復趙焚香設誓將終其身以施人名蝎梢
餅子用赤足全蜈蚣一條蝎梢乳香白花蛇肉朱砂
天南星白殭蚕各半兩麝香三錢凡八味砂乳麝別

研蛇酒浸去皮骨取净南星煨熟蚕生用與蜈蝎五者為末别研三者和均酒糊丸捏作餅徑四分煎人參或薄荷或金銀花湯磨化一粒周歲以下者半之全活小兒不可計庚志

治内障羊肝丸

治目方用黄連者多矣而羊肝丸尤奇特異用黄連末一兩白羊子肝一具去膜同於砂盆内研令極細衆手為丸梧桐子大每服以温水下三十丸連作五劑但是諸目疾及翳障青盲皆治忌猪肉冷水唐崔承元者因官治一死囚出活之囚後數年以病目致

死一旦崔為内障所苦喪明逾年後半夜嘆息獨坐忽聞堦除悉窣之聲崔問為誰徐曰是昔蒙活囚令故報恩至此遂以此方告言訖而沒崔以此合服不數月眼復明

神精丹

許叔微家一婦人夢二蒼頭一在前一在後手中持一物前者云到也未後者應云到也擊一下爆然有聲遂魘覺後心一點痛不可忍昏悶移時叔微所合神精丹有此證即取三粒令餌之過數刻痛止遂醒其方出千金中殆晋景公夢二豎之比也同上

寒嗽

晉之姪事觀音甚謹適苦嗽踰月夜夢老僧呼謂之曰汝嗽只是感寒吾有方授汝但用生薑一物切作薄片焙乾為末糯米糊丸芥子大空心米飲下三十丸覺如其言數服而愈癸志

丁公藤愈風

南史解叔謙鴈門人母有疾夜於庭中稽顙祈告聞空中云得丁公藤治即差訪醫及本草皆無至宜都山中見一翁伐木云是丁公藤療風乃拜泣求得之及漬酒法受畢失翁所在母疾遂愈本草

豨薟丸

江陵府節度使進豨薟丸方臣有弟訮年三十一中風床枕五年百醫不差有道人鍾針者因覩此患可餌豨薟丸必愈其藥多生沃壤五月間收洗去土摘其葉及枝頭九蒸九曝不必太燥但取蒸為度杵為末煉蜜丸梧子大空心温酒米飲下二三十丸所患忽加不得憂至四十服必復如故五十服當丁壯奉宣付醫院詳録又知益州張詠進表云臣因換龍興觀掘得一碑内説修養氣術并藥二件依方差人訪問採覓其草頗有異金稜銀線素根紫荄對節而生

蜀號火杴莖葉頗同蒼耳誰知至賤之中乃有殊常之効臣自喫至百服眼目精明即至千服鬚髮烏黑筋力輕健效驗多端臣本州有都押衙羅守一曾因中風墜馬失音不語臣與十服其病立痊又和尚智嚴年七十患偏風口眼喎斜時時吐涎臣與十服亦便瘥今合一百劑差職員史元奏進同上

一服飲

福唐梁緄心脾疼痛數年之間不能得愈服藥無效或教供事轍跡神且誦呪語久之夢中告曰與汝良藥名為一服飲可取高良薑香附子等分如本條修

製細末二錢七溫以陳米飲下空心服為佳不煩再服已而果驗後嘗以濟人皆效類編一百一選方云二味須各炒然後合若同炒即不効

診法

診法

診法常以平旦陰氣未動陽氣未散飲食未進經脉未盛絡脉調均氣血未亂故乃可診有過之脉切脉動靜而視精明察五色觀五臟有餘不足六腑強弱形之盛衰以此參决死生之分千金方

動脉

十二經皆有動脉獨取寸口以决五臟六腑死生吉凶之法寸口者脉之大會手太陰之動脉也人一呼脉行三寸一吸脉行三寸呼吸定息脉行六寸人一日一夜凡一萬三千五百息脉行五十度周於身漏水下百刻榮衛行陰陽各二十五度為一周也故五十度復會於手太陰太陰者寸口也即五臟六腑之終始千金方

脉行氣逆順

孫尚藥曰凡診脉先視人之長短肥瘦形氣相得者不病形氣不相得者病形氣損者危形氣反者死形

氣既反脉又加之懸絕者形氣俱病見者立死故人長脉亦長人短脉亦短人肥脉亦厚人瘦脉亦急矣形氣之相得也然人稟五行以生而常為八邪所攻若非累有誤中他邪得病亦易為治療謂形氣相得也形氣不相得而反者謂人長脉短之類若得病必難拯治矣是人之氣候無病者不久當病病者危危者死矣切須畏忌撙節和氣養神勿更恣意不慎轉耗天真深思深思鷄峯方

四時之脉

凡脉順四時者謂春弦夏洪秋毛冬石中有和氣軟

滑而長乃是不病之人得病即易為治療蓋從和氣而生也用法萬全如氣反脉逆形氣相失名曰不可治是形盛氣虛形虛氣盛故不可治也凡人形氣俱虛安穀者過期而死不安穀者不過期而死安穀謂飲食尚進期是八節之氣候也鷄峯方

肥瘦虛實

診脉治病必先度人之肥瘦以調氣之虛實虛則補之實則泄之若形瘦脉大胷中多氣者必死是形氣俱不足而脉反有餘故死也故人形盛脉細少氣不足者危危者近於死也猶有可治之理以氣不足而

形盛故也其形氣相得者生是人形氣肥瘦長短氣候相得故生也參五不調者病謂脉氣交亂而不調故病也上下寸關尺三部脉如參舂者病甚也三部脉左右手十至不可數者死是一呼一吸脉來往十至已上無生氣也故死矣鷄峯方

形氣相得相反

大凡診脉先定四時之脉便取太過不及虛實冷熱寒溫至數損益陰陽衰盛五行生尅臟腑所屬看之以為大法然後取其人形神長短肥瘦氣候虛實盛衰性氣高下布衣血食老幼強弱但順形神四時五

氣氣候無過者生之本其形氣與五行反者危病若過盛而形氣反逆脉有懸絶者死不治矣鷄峯普濟方

善別脉

郭玉廣漢人也後漢章帝時為侍郎為人善別脉知人生死帝令童男衣女子之衣詐云有病使玉診脉玉曰此女誰言病據脉狀陽盛陰弱臣謂非女帝善之遷五官中郎將

麤安常脉法

察脉之要莫急於人迎寸口是二脉相應如兩引繩陰陽均則繩之大小等凡平人之脉人迎大於春夏

寸口大於秋冬何謂人迎喉旁取之内經所謂別于陽者也越人不盡取諸穴之脉但取手太陰之行度魚際后一寸九分以配陰陽之數而得關格之脉然不先求喉手引繩之義則昧尺寸陰陽關格之所起寸四倍於尺則上魚而為溢故言溢者寸倍尺極矣溢之脉一名關一名内格一名陰乘之脉曰外關者自關以上外脉也陰拒陽而出故曰外格陰生於寸動於尺今自關以上溢於魚際而關以后脉伏行是為陰壯乘陽而陽竭陽竭則死脉有是者死矣然所謂寸口四倍於人迎為關陰之脉者也關以后脉當

一寸而沉過者謂尺中倍於寸口至三倍則入尺而
為覆故言覆者尺倍寸極矣覆之脉一名曰內關一
名曰外格一名曰乘陽之脉內關者關以下內脉也
外格者陽拒陰而內入也陽生於尺動於寸令自關
以下覆入尺澤而關以前脉伏行則為陽亢乘陰而
陰竭亦死脉有是者死矣此所謂人迎四倍於寸口
為格陽之脉也經曰人迎於寸口皆盛過四倍則為
關格關格之脉羸不能極天地之精氣而死所謂關
格者覆溢是也雖然獨覆獨溢則補瀉以生之尺部
一盛瀉足少陽補足厥陰二盛瀉足太陰補足少陰

三盛瀉足陽明補足太陰皆一瀉而一補之四盛則三陽極導之以斜當盡取少陽太陰陽明之穴脉靜者取三陽於足脉數者取於手瀉陽二當補於陰一至寸而反之脉有九候者寓浮中沉於寸關尺也且越人不取十二經穴者直以二經配合於手太陰行度自尺至寸九分之位復分三部部中有浮中沉以配天地人也又曰中風木傷寒金溫水熱火溫病起於濕濕則土病土病而諸臟受害其本生於金木水火四臟之變也陽浮陰濡為風溫陽數陰實為溫毒陽濡陰急為濕溫陰陽俱盛為溫瘧其治之也風濕

取足厥陰木手少陰火溫毒專取少陽火傷寒取手太陰金手少陰火濕溫取足少陰水鄉人皆為我能與傷寒語我察傷寒與四溫變辯其疑似而不可亂也故定陰陽於喉手配覆溢於尺寸寓九候於浮沉分四溫於傷寒然皆扁鵲略開其端而余參以內經諸書考究而得其說審而用之順而治之病不得逃焉張右史集

太素之妙

予伯祖張諱寧宗廟諱字子充歙人也家舊以財雄鄉里族人有以醫名者因留意焉長聞蘄水道人龐君安

常以醫聞淮甸徑從之遊一日丐者扣門自言為風寒所苦龐君令以藥濟之丐者問當用何湯使龐君見其手執敗扇指以此煎湯調所服之藥公初不省其意乃曰豈非本草所謂敗扇能出汗者乎龐曰然公辭歸嘆曰龐君用藥則善矣聞川有王朴先生者其察脉非特知人之病而太素之妙能測人之死生禍福見於未著之前服膺幾年盡得其妙乃辭而歸先是宣之南陵有富者惟一子而家累萬計適中寒疾以為不可救則氣息僅存以為可療則邈不知人召公治之公咲曰正有此藥然此病證後三日當蘇

蘇必欲飲水則以此藥與之服畢當酣寢切勿驚動醒則汗解而安矣富者如其言其子之疾果愈南陵宰其妻亦苦寒疾醫者環視無所措手公探囊中得藥服之疾起矣如其言而亦安祈門宰陳君璛聞公之名召之是時縣學士子餘三十人聞公太素之妙丞相汪公廷俊預學職陳請遍診生員公診至丞相則曰南人得北脉後官當為相國然登第後必自北方起時丞相歉徃京師家貧公力贊其行至京師邀未有遇因言於公曰恐誤所許之術公曰安之當達矣未踰年果登第授北京大名簿徊環北京而梁公

子美辟之遷至大中大夫後至宣政末力贊太上皇入繼大寶而正位槐鼎皆自北方起也丞相范公堯夫當徽廟即位之初朝庭以其舊德元勲將虛左召之而丞相嬰疾召公診視問曰某此去壽幾何公曰丞相脉不出半年丞相曰使某得至京師皆先生力也公曰如此則可丞相遂同公朝京師朝廷方欲大用范公力辭授以醴泉觀使奏公以假承務郎丞相後果以不起聞矣公出京至宋尚書蹇公序辰知應天府召公察脉公白尚書無官脉旦夕必有失俄被旨放歸田里未踰半年復召公察脉問曰某復如何

公曰今日之脉與前不同當得郡矣不踰時而知杭州蔡元度樞密吴國夫人王荆公女也有疾召公而愈嘆曰天下醫工未有妙如張承務者黄君譔誥授淮西提刑過當塗遇之公察脉而言曰大夫食禄不在淮西相次還朝矣然非今日宰相所謂宰相者猶未起起則有召命不滿歲當三遷又曰大夫不病而細君病良可憂九月矣後朝廷召蔡公京用之而黄君階坱而進一歲之内皆如公言作序送公曰余自崇寧年中授淮西提刑待次南歸過當塗遇故人張子充為予切脉而言曰大夫食禄不在淮西相次還

朝矣然非今日宰相所謂宰相者猶未起起則有召命不滿歲當三遷又曰大夫不病而細君病良可憂九月今丞相蔡公當國被旨除戶部郎中八月遷吏部九月長壽縣君卒十二月遷左司其數者與子充之言若合符節夫察人之脉知其病不病可治不可治故有之矣察夫之脉而知婦生死者間或有之至於察虞官之脉而知當朝宰相之出入未之見也自非術數窮天地智識窺造化其熟能與於此抑三年六月為之賦詩因序其略黃山樓掛斗牛星三十六峰森翠屏溫泉一泒瀉東濱下有丹砂連赤城軒轅

黄帝招廣成採山飲水學長生夜半常談內外經飄風驟雨迅雷霆獨騎龍去遊天庭至今山水黙通靈張君盡得其精英溫潤如玉清如氷放指測人無遁形三尸九蟲潛震驚富貴貧賤及死生自量多少提重輕無嫌黑白太分明片言隻字皆至誠當時宰相及公卿邀至在門倒屣迎其言簡嫚色驕矜馬須款往人不行惠然訪我來嵓扃且謂連珠脉已形口不可傳心可銘一飲三斗如建瓴老夫先醉君獨醒短歌不足為先聲尚有史官書姓名及姑孰李公端叔之儀青山郭公功甫祥正尚書黄公道夫太尉薛公肇明皆與

之遊先是功甫有子得異疾四肢如削人視其氣息
僅存以命在須臾召公診之公曰無足憂翌日功甫
餞公公曰所召何人功甫即言所召者惟吾子竟一
人而已公曰可增一客及期問公何人可預此席公
以郭之病子對功甫曰兒如此豈能陪燕足公未應
問力請其子同席遽授一藥酒未再進疾大作涎沫
皆出公令視之必有物在其間果得一魚骨隨出舊
疾因頓愈有詩送公云君不見左真人韓伯休聞名
不可見今迺逢張侯張侯生新安聲名滿皇州探賾
陰陽闚壽命推短修何代無異人志妙安可求靈丹

輙起死回匪醫之流衣冠乃儒者眉宇仙氣浮顴言分一粒洗我千歲憂高飛出塵寰相追汗漫遊而黄公道夫亭之則曰張君字子充得脉于異人来遊京師能以疾證占休咎告於省府之官累累皆中或恠其異疑用它術寓言在脉予曰不然萬物墮五行數中五行之在五臟死生禍福之變動于脉見于面聞於聲乃其深切著明者也又何疑之哉其術方行於京師偶以憂還江上略書其事以告東南好事者與之共信焉元符己卯正月二十二日僉山黄尚書及紹興間待制曾公開守徽日視事之始因召先祖揮

字子發醫乃問曾出外方否對以蚤歲從先兄子克往建康公再三嘆曰子克之術非常術也不知其為此邦人詢待制公廼薛公子壻爾當公在都下時鄉邦前輩在國學者無不知之而殿院胡公汝明求診公曰公當登第然心脉未圓候圓則成矣後往見之許其不出此此舉遂中壬辰年之第先是士夫聞公名者皆踵至沓来惟恐其後有授全齋貳車者方其未有所授公診脉謂之曰公脉止有七日及五日有全齋貳車之除乃曰張某妄人耳言我脉止有七日今五日乃有此除深怒之及七日晨起盥嗽遽仆于地

子弟視之巳不可救亟召公而告其疾公曰鰕遊脉見前巳言之不可療矣其子後作文擬扁鵲過齊見齊桓之事推美公之先見如此公歸鄉時承議董正封爲徽守召診其脉公曰承議今歲必當廕子董以爲官既未談奏補亦非郊祀之年族人中亦未有可以奏官及之者疑之適宛陵幕僚從徽至徽亦云子充之言不獨許承議亦許宛陵守矣恐不足信未踰年而　徽廟登極凡守土之臣並得捧表恩澤先祖隨侍至建康一日有一婦人扣門求藥伯祖偶不在舍先祖爲診之既歸則禀伯祖以婦人六脉所受之

患併所與之藥伯祖云如吾弟所與藥病當退矣然婦人據其脉氣當發居三年左乳下必有黑痣或再来當問之適及三日而婦人果再扣門先祖問其所以果如伯祖之言及紹興丙寅資政何公鑄謫居新安先祖累蒙資政指醫後何公有序送之云余自弱冠遊學金陵已聞張子充以醫名江東士大夫多神其術以謂其察脉非特知人之疾至於貴賤禍福期以歲月旬日若神余嘗異之而恨未識其人也後三十年余謫居新安識其昴揮方知子充為此邦人且聞其事甚詳揮嘗親授指教於子充故其議論有據

切脉精審今為歙邪醫師之冠余居徽三年多賴其診治故特書之因以見子充之術果不凡其傳於後者猶如此也惜乎公名盛於崇寧大觀時而享年止四十八卒於南昌是日也晨起見郡將云某之大事在今日午時後事必當累公郡將曰不至此否公曰吾診脉血已入心矣使人俟之果如期而張季明自記其伯祖子充事

魚遊蝦戲

太常博士楊日宣病寒郝允診曰君脉首震而尾息尾震而首息在法為魚遊蝦戲不可治不数日死邵氏

見聞録

傷寒

百病之本

真誥有言曰常不能慎事上者自致百病之本而怨咎於神靈乎當風臥濕反責它人於失覆皆癡人也夫慎事上者謂舉動之事必當慎思若飲食恣情陰陽不節最爲百病之本致使虛損內起風濕外侵所以共成其害如此者豈得關於神明乎惟當勤於藥術療理爾

察病先識其源

欲療病先察其源先候其病機五臟未虛六腑未竭
血脉未亂精神未散服藥必活若病已成可得半愈
病勢已過命將難全

病之所由

夫病之所由來雖多端而皆關於邪邪者不正之因
謂非人身之常理風寒暑濕飢飽勞逸皆各是邪非
獨鬼氣疫癘者矣人生氣中如魚在水水濁則魚瘦
氣昏則人病邪氣之傷人最為深重經絡既受此氣
傳入臟腑臟腑隨其虛實冷熱結以成病病又相生
故流遍遂廣精神者本宅身以為用身既受邪精神

亦亂神既亂矣則鬼神斯入鬼力漸強神守稍弱豈得不致於死乎古人譬之植楊斯理當矣但病亦別有先從鬼神來者則宜以祈禱祛之雖曰可祛猶因藥療致益者李子豫有赤丸之例是也其藥療無益者是則不可祛晉景公膏肓之例是也大都鬼神之害則多端疾病之源惟一種蓋有輕重者爾三說本草

六經傷寒用藥格法

夫傷寒始自太陽逆傳陽明至於厥陰而止六經既別治法不同太陽屬膀胱非發汗則不愈必用麻黃者以麻黃生于中年雪積五尺有麻黃處雪則不聚

蓋此藥能通內陽氣卻外寒也陽明屬胃非通泄則不愈必用大黄芒消以利之少陽屬胆無出入道柴胡與半夏能利能汗佐以子芩非此不解太陰屬脾中州土也性惡寒濕非乾薑白术不能溫燥少陰屬腎性畏寒燥非附子必不能溫厥陰屬肝藏血養筋非溫平之藥不能潤養此經常之道也後學不知倫類妄意進餌遂致錯亂諸證蜂起夭傷人命可不究辯且三陽病汗下和解人必知之至太陰脾經溫燥不行亦當溫利自陽明出如溫脾丸用大黃者是也少陰腎經雖用附子復使麻黃則知少陰亦自大陽

出厥陰用桂自少陽出明矣及其二陽鬱開皆當自陽明出故三陰皆有下證如少陰口燥咽乾下利清水太陰腹滿時痛厥陰舌捲腎縮皆當下之學者宜審詳不可率易投也

傷寒有五

傷寒有五有中風有傷寒有濕温有熱病有温病自霜降至春分傷風冷即病者謂之傷寒冬受寒氣春又中風而病者謂之温病至夏病發者名熱病病而多汗者謂之濕温其傷八節虛邪者謂之中風

陽證傷寒

程元章婺源游汀人與妻皆嗜食鼈婢梅香主烹飪每滋味不適口必撻之嘗得一大者長尺方操刀欲屠覩其伸縮顫悸為之不忍指而與言尋常烹製少失必遭杖責罰今放汝不殺亦不過痛打一頓遂解縛置於舍後汙池中池廣二丈水亦未嘗竭程夫婦以鼈肥大且滿意飫餐既失之怒甚杖婢數十經二年婢患熱疾發狂奔躁不納粥飲體熱昏憒蓋陽證也家人知不可療舁入池上茅亭以待絕命明日天未曉聞有扣宅後門扉者謂為鬼物叱去之乃言我是梅香病已無事乞令歸家啓關信然問其故對曰

半夜後髣髴見一黑物將濕泥草徧罨我身環繞三四十匝便覺心下開豁四肢清涼全無所苦始知獨在亭子內程氏未以為然追暮復使往徼昨夕偃卧而密伺之見巨鼈自池出啣水藻浮萍遮覆其體程不省所以婢詳道本末云鼈比昔日其大加倍視尾後穿竅尚存於是涸池取浮之送諸深溪程追悼前過不復食然鄉人聞者相傳以為戒邑醫虞和仲時到彼親見其事為予引霖夢獨言熱證之極悴未可解着汲新井水浸衣裳互熨之為妙不謂水族細微亦能如然蓋陰德所招云類編

竹葉石膏湯

袁州天慶觀主首王自正病傷寒旬餘四肢乍冷乍熱頭重氣塞脣寒面青累日不能食勢已甚殆袁唯一醫徐生能調治此疾診之曰脉極虛是爲陰證必服桂枝湯乃可觀守去城三里徐居在城内醫藥而歸未及煮若有語之曰何故不服竹葉石膏湯王回顧不見寮中但有一老道士適入市只小童子在呼問之曰恰何人到此曰無人自惑焉急遣邀徐醫還正告曰或教我服此如何徐曰寒燠如冰炭君之疾狀已危果餌前藥立見委頓它日殺人之謗非吾所

能任也自為煮桂枝湯一椀曰姑飲之正使不對病猶未至傷生萬一躁躁狂眩旋用師所言未為晚方州酬荅次復聞耳傍人云何故不肯服竹葉石膏湯自正益悚矣俟徐去即買見成藥而貼付童使煎又聞所告如初於是斷然曰神明三告我殆是賜以更生安得不敬聽即盡其半先時頭不能舉若戴物千斤倏爾清輕唇亦漸暖咽膈通暢無所礙悉服之少頃汗出如洗徑熟睡及平旦脫然如常時自正為人謹飭常茹素與人齋醮盡誠故為神所祐如此（庚志）

聖散子之功

聖散子主疾功効非一去年春杭州民病得此藥全
活者不可勝數所用中下品藥畧計每千錢即得千
服所濟已及千人昔薄拘羅尊者以一訶梨勒於一
病比丘故獲報身身常無衆疾

柴胡吹咀

朱肱吴興人尤深於傷寒在南陽太守盛次仲疾作
召肱視之曰小柴胡湯證也請併進三服至晚乃覺
滿又視之問所服藥安在取視乃小柴胡散也肱曰
古人製吹咀剉如麻豆大煮清汁飲之名曰湯所以
入經絡攻病取快今乃爲散滯在膈上所以胃滿而

病自如也因旋製自煮以進而服遂安夷堅志

寒厥

劉錫鎮襄陽日寵妾病傷寒暴亡衆醫云脉絶不可治或言市上賣藥許道人有奇術可用召之曰是寒厥爾不死也乃請健卒三十人速掘地作坑熾炭數百斤雜薪燒之俟極熱施薦覆坑舁病人卧其上蓋以氊蓐少頃氣騰上如蒸炊遍躰流汗衣被濕透已而頓蘇始取藥數種調治即日愈同上

風濕不可汗下

論風濕不可汗下春夏之交人病如傷寒其人汗自

出肢體重痛轉仄難小便不利此名風濕非傷寒也陰雨之後卑濕或引飲過多多有此證但多服五苓散小便通利濕去則愈切忌轉瀉發汗小悞必不可救初虞世云醫者不識作傷風治之發汗下之必死已未年京師大疫死正為此予自得其說救人甚多壬辰年予守官洪州一同官妻有此證因勸其速服五苓散不信醫投發汗藥一夕而斃不可不謹也大抵五苓散能導水去濕耳胷中有停飲及小兒吐哯欲作癇服五苓散最妙初君之說詳矣予因廣此說以信諸人信效方

取汗不可先期

南史記范雲初為陳武帝屬官武帝有九錫之命在旦夕矣雲忽感傷寒之疾恐不得預慶事召徐文伯診視以實懇之曰可便得愈乎文伯曰便差甚易政恐二年後不復起耳雲曰朝聞道夕死可況二年乎文伯以火燒地布桃葉設席置雲於上頃刻汗解裹以溫粉翌日愈雲甚喜文伯曰不足喜也後二年果卒夫取汗先期尚促壽限況不顧表裡不待時日便欲速効乎每見病者不耐未三四晝夜促汗醫者隨情順意鮮不敗事故予書此為醫者之戒本事方

傷寒舌出

臨安民有因傷寒而舌出過寸無能治者但以筆管通粥飲入口每日坐於門一道人見之咨嗟曰吾能療此頃刻間爾柰藥不可得何家人聞而請曰苟有錢可得當竭力訪之不肯告而去明日又言之至于旬時會中貴人罷直歸下馬觀病者道人適至其言如初中貴問所須乃梅花片腦也咲曰此不難置即遣僕馳取以付之道人屑為末摻舌上隨手而縮凡用五錢病立愈訂

四時癘疾

周禮天官下曰疾醫長養萬民之疾病四時皆有癘疾春時有痟首疾（頭痛）夏時有痒疥疾秋時有瘧寒疾冬時有嗽上氣疾

辨沙病

沙病江南舊無今東西皆有之原其證醫家不載大凡才覺寒慄似傷寒而狀似瘧但覺頭痛渾身壯熱手足厥冷鄉落多用艾灸以淂沙為良有因灸膿血迸流移時而死者誠可憐也有雍承節印行此方云初淂病以飲艾湯試吐即是其證急以五月蠶退紙一片碎剪安椀中以楪蓋密以湯泡半椀許仍以紙

封襟縫勿令透氣良久乘熱飲之就臥以厚衣被蓋之令汗透便愈如此豈不勝如火艾枉殘害人命敵之信之葉氏錄驗方

暑氣所中

今歲熱甚聞道路城市昏仆而死者此皆虛人勞人或飢飽失節或素有疾一為暑氣所中不得泄即悶竅皆窒非暑氣使然氣閉塞而死也古方治暑無它但用辛甘發散疏導心氣與水流行則無害矣崇寧乙酉歲余為書局時一養馬僕馳馬出局下忽仆地絕急以五苓大順散灌之皆不驗已逾時同舍王相

使取大蒜一握道上熱土雜研爛以新水和之濾去滓決其齒灌之少頃即蘇至暮此僕為余復御而歸乃知藥病相對有如此者此方本徐州沛縣市門忽有板書釘其上或傳神仙以救人者沈存中王聖美皆著其說而余親驗之乃使書百本散遠近庶幾有救其急者也石林老人避暑錄

傷寒後睡不着

人病傷寒陽證或患熱疾服涼藥而得愈飲食未充夜間輒睡不着是膽冷也若脉細身涼隨其虛實下金液丹一服大冷者下百粒及五六十粒不甚冷者

三二十粒即瞻着當以服證為準也脉細微大便不甚實小便清面色青白舌下不紅面帶青色皆冷證也醫餘

傷寒差後之戒

傷寒病初差不可過飽及勞動或食羊肉行房事與食諸骨汁并飲酒病方愈脾胃尚弱食過飽不能消化病即再來謂之食復病方愈氣血尚虛勞太早病即再來謂之勞復又傷寒食羊肉行房事並死食諸骨汁飲酒者再病龐安常云飲酒者亦死

用藥不同

夫傷寒中風濕溫熱病痙暍時疫雖同陰陽之法須別作治療若與傷寒同治必致危損經言脉有陰陽之法何也凡脉浮大洪數動滑此名陽脉也沉細澁弱弦微此名陰脉也陰病見陽脉者生陽病見陰脉者死審而察之

諸風

風者百病之始

風者百病之始也清淨則肉腠閉拒雖有苛毒弗能害故病久則傳化上下不并良醫弗為

中風用藥

凡中風用續命排風風引竹瀝諸湯及神精丹茵芋酒之類更加以艾無不愈者然此疾積習之久非一日所能致皆大劑久而取効唐書載王太后中風喑默不語醫者蒸黃蓍數斛以薰之得差蓋此類也今人服三五盞便求効責醫也亦速矣孟子曰七年之病三年之艾久後知爾 本事方

中風

凡人中風脉無不大者非熱也是風脉也中風有冷熱陽病則熱陰病則冷冷則用溫風藥熱則用涼風藥不可一槩用也凡中風皆不可吐出涎人骨節中

皆有涎所以轉動滑利中風則涎上潮咽喉中滾響以藥壓下涎再歸骨節可也不可吐出若吐出涎時間快意積久枯了人手足不可不戒也小兒驚風亦不可吐出涎其患與大人同方其發搐搦時不可捉住手足則涎不歸手足而固疾成但覺寬鬆抱之可也醫餘

辯諸風證

頭風多饒白屑毒風面上生瘡刺風狀如針刺腰痛如錐癇風急倒作聲瘈搐急慢頑風不認痛痒癱風頸生斑剥暗風頭旋眼黑不辯東西癮風面生赤點

肝風鼻悶眼瞤兩臉赤爛偏風口眼喎邪節風肢節
斷續指甲斷落脾風心多嘔逆酒風行步不前肺風
鼻塞項疼胆風令人不睡氣風肉內蟲行腎風耳內
蟬聲陰間濕痒寒濕脚氣癱風半身不遂癩風手足
拳攣胃風不伏水土虛風風寒濕痺腸風脫肛瀉血
腦風頭旋偏痛賊風風蕤聾不響產風四肢疼痛骨風
膝腫如槌膝風腿寒骨痛心風健忘多驚盛風語言
蹇澁髓風臂膊酸疼臟風夜多盜汗血風陰囊濕痒
烏風頭面腫塊皮風紫白癜癬肌風遍身燥痒體風
身生腫毒閑風大便燥澁軟風四肢不舉緑風瞳人

開大青風吐極青盲虎風發吼羊吽大風成片爛瘡

諸風

劉子儀曰經有急風候又有卒中風候又有風癔候夫急風與卒中理固無三指風而言則謂之急風指病而言則謂之卒中其風癔盖出於急風之候也何者經云奄然忽不知人咽中塞窒然舌強不能言如此則是中急風其候也發汗身軟者生汗不出身直者死若痰涎壅盛者當吐之視其鼻人中左右上白者可治一黑一赤吐沫者死

風痱

風痱者身無痛也病在臟四肢不收智不亂一旦臂不隨者風痱也能言微有知則可治不能言者不可治足如履霜肘如入湯股脛淫鑠眩悶頭痛時嘔短氣汗出久則悲喜不常三年死凡欲治此病依先後次第不得妄投湯藥以失機宜非但殺人因茲遂為痼疾當先服竹瀝飲子雞峯普濟方

風痓

經有風痓候又有風角弓反張候痓者身體強直口噤如發癇狀角弓反張者腰背反折不能俯仰二者皆曰風邪傷于陽之經而然也治法一同同上

腲腿

經稱腲腿風者為四肢不收身躰疼痛肌肉虛滿是也以風邪侵於肌肉之間流于血脉之内既云肌肉虛滿即風邪入腎之經絡而然也水氣論曰諸腫俱屬於腎是也治法當兼理腎為淂一云不治變為水氣同上

風眩

夫風眩之病起于心氣不足胷中蓄熱實故有頭風面熱之所為也痰熱相感而動風風心相亂則悶瞀故謂之風眩悶瞀大人曰癲小兒則為癎一說頭風

目眩者由血氣虛風邪入腦而牽引目系故也五臟六腑之精氣皆上注於目血氣與脉并上為目系屬於腦後出於項中血脉若虛則為風邪所傷入腦則轉而目系急故成眩也診其脉洪大而長者風眩也凡人病發宜急與續命湯困急時但度灸穴便宜針之無不差者初得針便灸最良同上

風痺

夫痺者為風寒濕三氣共合而成痺也其狀肌肉頑厚或則疼痛此由人體虛腠理開則受於風邪也其邪先中經絡後入於五臟以其春遇痺者為筋痺不

已又遇邪者則移入於肝也肝痺之狀夜臥則驚飲食多小便數夏遇痺者為脉痺血脉不流令人萎黃脉痺不已又遇邪者則移入於心心痺之狀心下鼓氣卒然逆喘不通咽乾喜噫仲夏遇痺為肌痺肌痺不已後遇邪者則入於脾脾痺之狀四肢懈墮發咳嘔吐秋遇痺者為皮痺則皮膚都無所覺皮痺不已則入於肺肺痺之狀氣奔喘痛冬遇痺者為骨痺骨重不可舉不遂而痛骨痺不已又遇邪者則移入於腎腎痺之狀喜脹診其脉大濇者為痺脉來急者為痺脉濇而緊者為痺上同

偏枯

經有偏風候又有半身不遂候又有風偏枯候此三者大要同而古人別為之篇目蓋指風則謂之偏風指疾則謂之半身不遂其肌肉偏小者呼為偏枯皆由脾胃虛弱所致也夫脾胃為水穀之海水穀之精化為血氣潤養身軀今脾胃虛弱則水穀之精養有所不周血氣偏虛為邪所中故半身不遂或至肌肉枯小爾治法兼治脾胃皆雞峯方

小中不須深治

風淫末疾謂四肢凡人中風悉歸手足故也而疾勢

有輕重故病輕者俗名小中一老醫常論小中不須深治但服温平湯劑正氣逐濕痺使毒流一邊餘若不作隨性將養雖未能為全人然尚可苟延歲月若力攻之縱有平復者往往恬不知戒病一再來則難以支吾矣譬如捕寇拘于一室則不使之逸越自亡它慮或逐之再至則其禍當劇于前矣此語甚有理[illegible]予見世之病者大躰皆如是但常人之情以幻質為已有豈有淂疾為廢人而不力治者此未易以筆舌喻也泊宅編

邪風

邪風之至疾如風雨善治者治皮毛次治肌膚次治筋脉次治六腑次治五臟治五臟者半死半生也

風厥

汗出而身熱者風也汗出而煩滿不解者厥也

睡防風吹

睡中風吹手足或酸或疼或腫用鹽炒熱帕裹熨之微有汗出即愈仍用术附湯加羌活煎服瑣碎録

白癩病

昔有一僧淂病狀如白癩卒不成瘡但每旦取白皮一升許如蛇蛻醫者謂多啖炙煿所致與局方解毒

雄黄九三四服而愈

長松治大風

釋普明齊州人久止靈岩晚進五臺得風疾眉鬚俱墮百骸腐潰哀號苦楚人不忍聞忽有異人教服長松明不知識復告之云長松生古松下取根餌之皮色如薺苨長三五寸味微苦類人參清香可愛無毒服之益人兼解諸蠱毒明採服不旬日毛髮俱生顔貌如故今并代間士人以長松雜甘草乾山藥為湯煎服甚佳然本草及諸方書皆不載獨釋慧祥作清凉傳始序[illegible]

瘵風癩病絶不同

瘵病骨先絶風病筋先絶癩病肉先絶瑣碎録

食川山甲動舊風疾

余嘗行衡州道中遇醴陵尉自衡陽方回以病歸問其得疾之由曰某食豬肉入山既深無肉可以食偶從者食川山甲肉因嘗數臠舊有風疾至是復作今左手足廢矣因以篋中風藥遺之後半月聞其人痼疾頓愈及至永州觀圖經曰穿山甲不可殺于堤岸血一入土則隄岸不可復塞蓋能透地脉也如此尉因誤食致病而旬日痼疾盡愈亦可怪也今人用以

通婦人脉甚驗

蘞草治風

杜甫詩有除蘞草詩一篇今蜀中謂之毛蘞毛芒可畏觸人如蜂蠆然治風疹擇最先者以蚍草點之一身皆失棄背紫者入藥

蚺蛇治風

泉州有客盧元欽染大風唯鼻根未倒屬五月五日官取蚺蛇膽欲進或言肉可治風遂取一截蛇肉食之三五日頓漸可百日平復

蛇墜酒甖治風

商州有人患大風家人惡之山中為起茅舍有烏蛇墜酒罌中病人不知飲酒漸差罌底見蛇骨方知其由也朝野僉記同上

桑枝愈臂痛

桑枝一小升細切炒香以水三大升煎取二升一日服盡無時圖經云桑枝平不冷不熱可以常服療體中風痒乾燥脚氣風氣四肢拘攣上氣眼暈肺氣嗽消食利小便久服輕身聰明耳目令人光澤兼療口乾仙經云一切仙藥不得桑枝煎不服出抱朴子政和間予嘗病兩臂痛服諸藥不效依此作數劑臂痛

壽愈本事方

透冰丹愈耳痒

族人友夔壯歲時苦兩耳痒日一作遇其甚時殆不可耐擊刮挑剔無所不至而所患自若也常以堅竹三寸許截之折為五六片細削如洗箒狀極力撞入耳中皮破血出或多至一蜆殼而後止明日復然失血既多為之困悴適有河北醫士周敏道到鄉里因往謁之周曰此腎臟風虛致浮毒上攻未易以常法治也宜買透冰丹服之勿飲酒啖濕麵蔬菜雞豬之屬能盡一月為佳夔用其戒數日痒止而食忌不能

久既而復作乃著意痛斷迨於累旬耳不復痒編類

臂細無力不任重

此乃肝腎氣虛風邪客滯於榮衛之間使氣血不能周養四肢故有此證肝主項背與臂膊腎主腰胯與腳膝其二臟若偏虛則隨其所主而生病爲令此證乃肝氣偏虛宜專補肝補腎雞峯方

風眩

賈黃中為禮部侍郎兼起居監察中風眩卒太宗悼惜之切責諸醫大搜在城醫工凡通神農本草黃帝難經素問及善鍼灸藥餌者校其能否以補翰林

醫學及醫官祗候

風癉

齊王太后病召臣意入診脉曰風癉客浮難於大小溲溺赤臣意飲以火齊湯一飲即前後溲再飲病已溺如故病得之流汗潃潃者去衣而汗晞也所以知齊王太后病者臣意診其脉切其太陰之口溼然風氣也脉法曰沈之而大堅浮之而大緊者病主在腎腎切之而相反也脉大而躁大者膀胱氣也躁者中有熱而溺赤（史記淳于意傳）

風蹶

濟北王病召臣意診其脉曰風蹶胷滿即爲藥酒盡三石病已得之汗出伏地所以知濟北王病者臣意切其脉時風氣也心脉濁病法過入其陽陽氣盡而陰氣入陰氣入則寒氣上而熱氣下故胷滿汗出伏地者切其脉氣陰陰氣者病必入中出及瀺水也瀺士咸切

痺

齊王故爲陽虛侯時病甚衆醫皆以爲蹷臣意診脉以爲痺根在右脇下大如覆杯令人喘逆氣不能食臣意即以火齊粥且飲六日氣下即令更服丸藥出

入六日病已病淂之内診之時不能識其經解大識其病所在同上

苦沓風

臣意嘗診安陽武都里成開方開方自言以為不病臣意謂之病苦沓風三歲四肢不能自用使人瘖瘖即死今聞其四肢不能用瘖而未死也病淂之數飲酒以見大風氣所以知成開方病者診之其脉法奇咳言曰臟氣相反者死切之得腎反肺法曰三歲死也史記同上

癱瘓

世傳左為癱右為瘓此說尤非何者經既有偏中半身不遂之候即癱瘓之候當以左右俱中者名之又說以春夏得之難治秋冬得之易療春夏者陽氣上騰火力方盛風火相得而王故難治也秋冬者陽氣降下漸微即易療也此說亦未可必惟其中之淺深為難易耳治法兼理肝腎為得蓋肝主筋腎主骨風中肝腎則筋骨癱瘓鷄峯方

迴風

陽虛侯相趙章病已臣意衆醫皆以為寒中臣意診其脉曰迴風音洞言徹入四肢迴風者飲食下嗌音益謂喉下也而

輙出不留法曰五日死而後十日乃死病得之酒所以知趙章之病着臣意切其脉脉來滑是內風氣也飲食下嗌而輙出不留着法五日死皆為前分界法後十日乃死所以過期着其人嗜粥故中臟實中臟實故過期師言曰安穀着過期不安穀着不及期出史記

又

齊淳于司馬病臣意切其脉告曰當病迴風迴之狀飲食下嗌輙後之後如廁也病得之飽食而疾走淳于司馬曰我之王家食馬肝飽甚見酒來即走去驅疾至

舍即泄數十出臣意告曰為火齊米汁飲之七八日當愈時醫秦信在旁臣意去信謂左右閣都尉曰意以淳于司馬病為何曰以為迥風可治信即咲曰是不知也淳于司馬病法當後九日死即後九日不死其家復召臣意臣意往問之盡如意診臣即為一火齊米汁使服之七八日病已所以知之者診其脈時切之盡如法其病順故不死（史記同上）

手足沉重狀若風者

此證其原起於脾虛榮衛不足胃為水穀之海脾氣磨而消之水穀之精化為榮衛以養四肢若起居失

節飲食不時則致脾胃之氣不足既榮衛之氣潤養不周風邪乘虛而干之蓋脾胃主四肢其脉連舌本而絡於脣口故四肢與脣口俱痺語言蹇澁也治法宜多用脾胃藥少服去風藥則可安矣若久久不治則變為痿疾經所謂治痿獨取陽明是也陽明者胃之經也雜峯方

上氣常須服藥

張文仲言風有一百二十四種氣有八十一種唯脚氣頭風上氣常須服藥不絕自餘即隨其發動臨期消息之但有風氣之人春末夏初及秋暮要得通洩

即不困劇所謂通洩者如麻黄牽牛郁李仁之類是也不必苦駃利藥太平御覽

熱蹶

故濟北王阿母自言足熱而懣臣意告曰熱蹶也則刺其足心各三所按之無出血病旋已病得之飲酒大醉史記

眉髮自落

崔言曰職隸左親騎軍一旦得疾雙眼昏咫尺不辯人物眉髮自落鼻梁崩倒肌膚有瘡如癬皆為惡疾勢不可救因為洋州駱谷子歸寨使遇一道流自谷

中出不言名姓授其方曰皂角刺一二斤為灰蒸久晒碾為末食上濃煎大黄湯調一錢七服一旬鬢髮再生肌膚悅潤眼目倍明得此方後入山不知所之

感應神仙傳

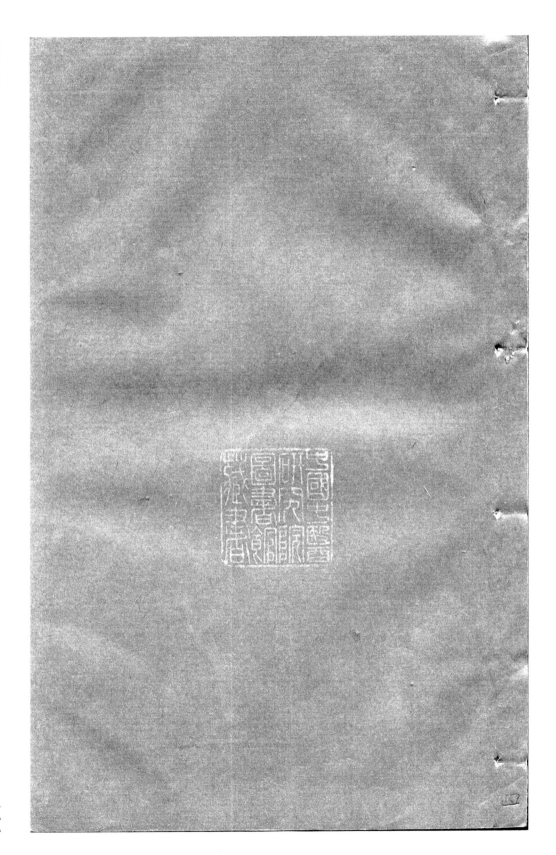

醫説卷第四

勞瘵

五勞

夫人作勞傷於五臟五臟之氣因傷成病故謂之五勞肺勞之狀短氣而面腫不聞香臭肝勞之狀面目乾黒口苦精神不守恐畏不能獨臥目視不明心勞之狀忽忽喜忘大便難或時溏利口内生瘡脾勞之狀舌根苦直不得嚥唾腎勞之狀背難俛仰小便不利赤黄而有餘瀝囊濕生瘡小腹裏急治法肝勞補心氣心勞補脾氣脾勞補肺氣肺勞補腎氣腎勞補

肝氣此療子以益母也經曰聖人春夏養陽秋冬養陰以補其根本肝心為陽脾肺腎為陰夫五臟實亦成勞虛則補之實則瀉之

六極

六極者筋極主肝脉極主心肉極主脾氣極主肺骨極主腎精極主臟腑筋極之狀令人数轉筋十指手甲皆痛苦倦不能久立脉極之狀忽忽喜忘少顏色眉髮墮落肉極之狀飲食無味不生肌肉皮膚枯槁氣極之狀正氣少邪氣多氣不足多喘少言骨極之狀腰脊酸削齒痛手足煩痛不欲行動精極之狀肉

虛少氣喜忘髮衰落肽謂之極者病重於勞也治法與治勞同

七傷

七傷者一曰大怒逆氣傷肝二曰憂愁思慮傷心三曰飲食大飽傷脾四曰形寒飲冷傷肺五曰久坐濕地傷腎六曰風雨寒濕傷形七曰大怒恐懼傷志肝傷則少血目暗心傷則苦驚喜忘脾傷則面黃善臥肺傷則短氣咳嗽腎傷則短氣腰痛厥逆下冷形傷則皮膚枯槁志傷則恍惚不樂治法與五勞六極同

虛勞

男子平人脉大為勞極虛亦為勞男子勞之為病其脉浮大手足煩春夏劇秋冬差陰寒精自出瘦削不能行寸口脉浮遲浮則為虛遲則為勞虛則衛氣不足浮則榮氣竭脉直者遲逆虛也脉澀無陽是腎少寸關澀無血氣逆冷是大虛脉浮微緩而大者是勞也脉微濡相搏為五勞微弱相搏虛損為七傷

冷勞

冷勞之人氣血枯竭表裡俱虛陰陽不和精氣散失則内生寒冷也皆由臟腑久虛積冷之氣遂令宿食不消心腹飽滿臍腹疼痛面色痿黄口舌生瘡大腸

泄痢手足無力骨節酸疼久而不瘥轉加羸瘦故曰冷勞

勞瘵

勞動作也郭逢原曰凡人暫爾疲倦通謂之勞而今人以勞為惡疾而惡聞之親戚朋友共為隱諱見其疾狀莫敢呼之殊不知勞之為病初起於動作不能節謹致於疲倦且傷不已漸成大疾凡言虛勞者五勞是也六極七傷為類蓋蒙莊所謂精太用則竭神太勞則獘者治法不過補養五臟滋益氣血使之強盛則其疾自去又有傳尸勞者則非此類蓋緣尸疰

及挾邪精鬼氣而成者也經曰人有三虛逢年之衰遇月之空失時之和乍感生死之氣忽犯鬼物之精大槩寒熱淋露沉沉默默不的知其所苦而無處不惡積月累年漸就委頓既死之後又復傳疰他人者是也茲又須用通神明去惡氣諸藥以治之經曰草木鹹滑其性鬼神無所遁情刳射剿犀驅曳邪惡飛丹鍊石引納清和疑其為此疾而設已上雞峰方

傳勞

葛洪云鬼疰者是五屍之一疰又挾諸鬼邪為害其病變動乃有三十六種至九十九種大略使人寒熱

淋瀝沉沉默默不的知所苦無處不惡累年積月漸就沉滯以至於死傳與傍人乃至滅門覺如是候者急治獺肝一具陰乾杵末服方寸匕日三未愈再作肘後云此方神良宣和間天慶觀一法師行考召極精嚴時一婦人投狀述患人有祟所附須臾召至附語云非我為祻別是一鬼亦因病人命衰為祟爾渠今已成形在患人肺中為蟲食其肺系故令吐血聲嘶師掠之此蟲還有畏忌否久而無語再掠之良久云容某說惟畏獺爪屑為末以酒服之則去矣患家如其言而得愈此予目所見也究其患亦相似獺爪

若殆獺肝之類歟本事方

遇道人治傳勞方

袁州寄居武節郎李應本相州法司嘗以吏役事韓似夫樞密兵火後忽於宜春見之云從岳侯軍得官令閑居於此從容問其家事潸然淚下曰某先有男女三人長子因議買宅入久空無人所居之室忽覺心動背寒凜凜遂成勞瘵之疾寖殆傳於次室女也長子既死女病尋亟繼又傳於第三子證候一同應大恐即禱於城隍神每日設麪飯以齋雲水冀遇異人且許謝錢三十萬數日因往市中開元寺前有一

人衣俗士服自稱貧道踵足而呼曰團練聞宅上苦傳尸勞貧道有一藥方奉傳同入寺中問其姓名不荅曰授云云應即取筆書之道人言欲過湖南應留之飯云已喫飯了欲贈之錢云自有盤纏臨行又言此藥以天靈蓋虎糞内骨為主切須仔細尋覓青蛇腦如無亦可服藥前一日須盛享城隍神求為陰助應曰既求之於神何必用藥道人曰不然即擇别西去應以其事頗異敬如其言治藥既成設五神位具飲饌十品如待賓客以享城隍又别列酒食以犒飲陰兵仍於其家設使着一位於病榻之間服藥食頃

臟腑大下得蟲七枚色如紅煥肉而腹白長約一寸濶七八分前鋭後方腹下近前有口身之四周有足若魚骨細如針尖而曲已死試取火焚之以鐵火筯劄刺不能入病勢頓減後又服一劑得小蟲四枚自此遂安今已十年肌體悦澤不復有疾道人後竟不來其藥用天靈蓋三錢酥炙黄色為末秤虎糞内骨一錢人骨為上獸骨次之殺虎大腸内取者亦可用同青蛇腦小豆許或菉豆許同酥塗炙色轉為度無蛇腦只酥炙亦得鼈甲極大者醋炙黄色為末秤一兩九肋者妙安息香半兩桃仁一分去皮尖研以上

為末絹篩過檳榔一分別為細末麝香一錢別研青蒿取近梢三四寸細剉六兩豉三百粒葱根二十一箇拍破東引桃柳李桑枝各七莖麄如筯頭大各長七寸細剉楓葉二十一片如無亦得童子小便半升
右先將青蒿桃柳李桑枝楓葉葱豉以官省升量水三升煎至半升許去滓入安息香天靈蓋虎糞内骨鼈甲桃仁與童子小便同煎取汁去滓有四五合將檳榔麝香同研均調作一服早辰温服以被蓋覆出汗恐汗内有細蟲以帛子拭之即焚此帛相次須瀉必有蟲下如末死以大火焚之並棄長流水内所用

藥切不得令病人知日後亦然十来日後氣體復固再進一服依前焚棄至無蟲而止此藥如病者未亟可以取安如已亟俟其垂死則令下次已傳染者服之先病者雖不可救後来者斷不傳染出百一選方韓樞密孫廬師亟卿傳

勞傷瘵疾

男子勞傷而得疾瘵漸見瘦瘠用童子小便二盞無灰酒一盞以新甕瓶貯之入全猪腰一對内密封泥日晚以慢火養熟至中夜止五更初更以火温之發瓶飲酒食腰子病篤者只一月效平日瘦怯者亦可

服此藥蓋以血養血全勝金石草木之藥也瑣碎錄

勞復

故督郵頓子獻得病已差詣華佗視脉曰尚虛未復勿為勞事御內即死臨死當吐舌數寸其妻聞其病除從百里外省之止宿交接中間三日病發一如佗言三國志

鬼疰

韶州南七十里曰古田有富家婦人陳氏抱異疾常日無他苦每遇微風吹拂則股間一點奇癢爬搔不停手已而舉體皆然逮於發厥凡三日醒及坐有聲

如欬其身乍前乍後若搖兀之狀率以百數甫少定又經日始困臥不知人累夕愈至不敢出户更十醫弗效劉大用視之曰吾得其証矣先與一服取念珠一串来病家莫知何用也當婦人搖兀時記其疏數之節已覺微減然後云是名兒痓因入神廟看為邪所憑致精彩蕩越法當用死人枕煎湯飲之既飲大瀉數行宿痾脱然大用云枕用畢當送還元處如遲留使人顛狂蓋但借其氣耳類編

瘵疾

越州鏡湖邵長者女十八染瘵疾累年刺灸無不求

治醫亦不效有漁人趙十煑鰻羹與食食覺内熱之
病皆無矣今醫家所用鰻煎乃此意

尸疰

飛尸者遊走皮膚穿臓腑每發刺痛變作無常遁尸
者附骨入肉攻鑿血脉每發不可得近見尸聞喪哀
哭便發風尸者淫濯四肢不知痛之所在每發昏沉
得風雪便作沉尸者纒骨結臓衝心脇每發絞切遇
寒冷便作注尸者舉身沉重精神錯雜常覺昏廢每
節氣致變輙成大悪皆宜用忍冬葉數斛煑取濃汁
稠煎服之如鷄子大一枚日三太乙神精丹蘇合香

九治此病第一（本事方）

虛勞用藥

凡虛勞之疾皆緣情慾過度榮衛傷勞致百脉空虛五臟衰損邪氣乘襲致生百疾聖人必假藥石以資氣血密腠理以禦諸邪肌肉之虛猶如體之輕虛如馬勃通草蒲梢燈心之屬是也非滋潤粘膩之物以養之不能實也故前古方中鹿角膠阿膠牛乳鹿髓羊肉飴糖酥酪杏仁煎酒蜜人參當歸地黃門冬之類者蓋出此意本草云補虛去弱羊肉人參之屬是也所謂虛勞者因勞役過甚而致虛損故謂之虛勞

今人才見虛弱疾證悉用燥熱之藥如伏火金石附子薑桂之類致五臟焦枯血氣乾涸而致危困皆因此也如虛而兼冷者止可於諸虛勞方中加諸溫熱藥為助可也如此即不失古人之意醫餘

鰻治勞疾

有人多得勞疾相因染死者數人取病者於棺中釘之棄於水永絕傳染之患流之金山有人異之引岸開視見一女子猶活因取置漁舍多得鰻鱺魚食之病愈遂為漁人之女稽神錄

虛勞服藥

養生必用方論虛劳不淂用凉藥如柴胡鼈甲青蒿麥門冬之類皆不用服唯服黄芪建中湯有十餘歲女子因發熱咳嗽喘急小便少後来成腫疾用利水藥得愈然虛羸之甚遂用黄芪建中湯日一服三十餘日遂愈盖人禀受不同虛劳小便白濁陰臓人服橘皮煎黄芪建中湯獲愈者甚衆至於陽臓人不可用煖藥雖建中湯不甚熱然有肉桂服之稍多亦反為害要之用藥亦量其所禀審其冷熱而不可一槩以建中湯治虛劳也謹之醫餘

骨蒸内熱

睦州楊寺丞有女事鄭迪功苦有骨蒸内熱之病時發外寒寒過内熱附骨蒸盛之時四肢微瘦足趺腫者其病在五臟六腑之中衆醫不差因遇處州吳醫看曰請為治之只單用石膏散服後體微凉如故其方出外臺秘要只用石膏乳細十分似麵以新汲水和服方寸匕取身無熱為度名醫錄

氣血虚發厥熱

氣虚則發厥血虚則發熱厥者手足冷也氣屬陽陽虚則陰湊之故發厥血者陰也血虚則陽湊之故發熱也氣虚發厥者當用温藥血虚發熱者不宜用凉

藥當用温養氣血之藥以補之宜養陰黄芪建中湯之類是也又有一種病實熱者極而手足厥冷所謂熱深厥亦深此當用凉藥須以脉别之也此最難辯差之毫厘則害人性命戒之醫餘

人肉治羸疾

開元間明州人陳藏器撰本草拾遺云人肉治羸疾自此閭閻相效割股

治羸疾

仁和縣一吏早衰病瘠齒落不已從貨藥道人得一單方只碾生硫黄為細末實於豬臟中水煮臟爛碾

細宿蒸餅圓如桐子大隨意服之兩月後飲啖倍常步履輕捷年過九十畧無老態執役如初因從邑宰入村醉食牛血遂洞下數十行所泄如金水自是厖悴少日而死李巨源得其事於臨安入内醫官管範嘗與王樞使言之王云但鬭猪肪脂能制硫黄茲用臓尤為有理亦合服之久當見效編類

治劳瘵吐血

蒻草狀如茜草又如細辛婺台二州皆有之惟婺可用其法每取一斤淨洗碎為末入生蜜一斤和成膏以陶器盛之不得犯鐵日一蒸一曝至九日乃止治

勞瘵吐血損肺及血妄行名曰神傳膏令病人五更起面東坐不浔語言用匙抄藥如食粥然每服四匙良久呷稀粟米粥壓之藥只冷服粟飲亦不可太熱或吐或下皆無害如久病肺損咯血一服立愈本事方

天靈蓋

謹按天靈蓋神農本經人部惟髮髲一物外餘皆出後世醫家或禁術之流竒性之論殊非仁人之用心世稱孫思邈有大功於世以殺命治命尚有陰責況於是也近数見醫家用以治傳尸劳未有一效者信本經不為害也殘忍傷神又不急於取敎苟有可易

可易仁者宜盡心焉苟不以是説爲然决爲庸人之所惑亂證云非此不可是不得已則宜以年深塵泥所漬朽者爲良以其絶屍氣也本草

鼻衄吐血

鼻衄

饒州士民李士哲苦鼻衄甚至危困醫授以方取蘿蔔自然汁和無灰酒飲之則止醫云血隨氣運轉氣有滯逆所以妄行蘿蔔最下氣而酒導之是以一服效經五日復如前僅存喘息而張思順以明州刋王氏單方剚人中白置新瓦上火逼乾以温湯調服即

時血止至今十年不作張監潤之江口鎮適延陵鎮官曾棠入府府委至務同視海船曾着白茸毛背子盛服濟潔正對談之次血忽出如傾變所服為紅色驗曰素有此疾特不過點滴耳今猛烈可畏覺頭空然殆有性命之慮張曰君勿憂我當漸治一藥稍時而就持與之血亦止不復作人中白者旋盆內積濂垢是也蓋秋石之類特不多用火力治藥時勿使其人知恐其以穢濁不肯服此方可謂神矣

又

予在汝州時因出驗屍有保正趙溫者不詣尸所問

之即云衂血已數斗昏困欲絶予使人扶掖以來鼻血如簷溜平日所記治衂數方旋合藥治之血勢猛皆衝出予謂治血者莫如地黄試遣人四散尋生地黄得十余斤不暇取汁因使生喫漸及三四斤又以其滓塞鼻須臾血定又發未歲予婦病吐血有醫者教取生地黄自然汁煑服之日服數升三日而愈有一婢病經血半年不通見釜中餘汁以爲棄去可惜輒飲數杯尋即通利地黄治血其功如此地黄但用新布拭凈擣汁勿用水洗方信效

歐血咯血

台州獄吏憫一大囚将死頗賙顧之囚感語之吾七次犯死罪盡力抗諱苦遭訊考坐是肺皆撑損至於歐血適得一藥每用其效如神荷君庇拊之恩特此以報只白芨一味米飲調爾其後凌遲儈者剖其胷見肺間竅穴數十處皆白芨補填之色猶不變也洪貫之聞其説為鄂州長壽宰規之赴洋州任一卒忽苦咯血勢絶危貫之用此救之一日即止癸志

山梔子茅花愈衄血

蔡子渥傳云同官無錫監酒趙無疵兄衄血甚已死入殮血尚未止一道人過門聞其家哭詢問其由道

人云是曾服丹或烧煉藥子有藥用之即活囊間出藥半錢乞吹入鼻中立止良久淂活乃山梔子燒存性末之本事方

又治鼻衂不止欲絶者取茅花一大把剉碎用水兩椀煮一椀分二服飲立止良方

頭風

偏頭疼

裕陵傳王荆公偏頭疼方云是禁中秘方用生萊菔汁一蜆殼仰臥注鼻中左痛注右右痛注左或兩鼻皆注亦可數十年患皆一注而愈荆公與僕言已愈

數人矣（良方）

頭眩

有人苦頭眩頭不得舉目不得視積年華佗使悉解衣倒懸令頭去地三寸濡布拭身體令周匝視諸脉盡出五色佗令弟子以鈹刀決脉五色血盡視赤血出乃下以膏摩被覆汗出周匝飲以葶藶散而愈（三國志）

蹶頭熱

菑川王病召臣意診脉曰蹶上為頭重痛身熱使人煩懣臣意即以寒水拊其頭刺足陽明左右各三所

病旋已病得之沐髮未乾而臥診如前所以蹶頭熱至肩史記

婦人偏頭痛

有一婦人患偏頭痛一邊鼻塞不聞香臭常流清涕或作臭氣一陣服遍治頭痛藥如芎蝎皆不效人無識此病者或曰腦癰偶有善醫云但服局方芎犀丸不十數服忽作嚏涕突出一鋌稠膿其疾遂愈

沐頭洗浴

沐頭不可用冷水必成頭風之疾浴罷不可和衫裙寢恐成外腎腫疼腰背拳曲

婦人月水来不可沐頭

婦人女子月事來不可洗頭或因感疾終身爲痼疾不可治泊宅編

川芎不可久服

一族子舊服芎藭醫鄭叔熊見之云芎藭不可久服多令人暴死後族子果無疾而卒予姻家朝士張子遹妻因病腦風服芎藭甚久亦一旦暴亡予目見者筆談

眼疾

目疾

凡人食五辛諸熱食飲刺頭出血過多極目遠視燈前看字月下攻書不避烟火博奕經時飲酒不已熱飡麪食抄寫多年雕鏤綉畫泣淚過多房慾無節遠觀星火視日月極瞻望山川皆是喪明之本可不謹哉瑣碎錄

讀書損目

讀書之苦傷肝損目誠然晉范甯嘗苦目病就張湛求方湛戲之曰古方宋陽子少得其術以授魯東門伯次授左丘明遂世世相傳以及漢杜子夏晉左太冲凡此諸賢並有目疾得此方云損讀書一減思慮

二專內視三簡外觀四旦起晚五早夜眠六凡六物熬以神火下以氣蓯蘊於胸中七日然後納諸方寸修之一時近能數其目睫遠視尺箠之餘長服不已洞見牆壁之外非但明目乃亦延年審如是而行之非可謂之嘲戲亦奇方也本事方

觀音洗眼偈

台州僧處瑫中年病目常持誦大悲呪夢觀音傳授法偈令每旦呪水七遍或四十九遍用以洗眼凡積年障翳近患赤目無不獲痊處瑫跪受而寤悉用記憶如說誦行之不踰時平愈壽至八十八歲其偈曰

救苦觀世音施我大安樂賜我大方便滅我愚癡暗賢劫諸障礙無明諸罪惡出我眼室中使我視物光我今說是偈洗懺眼識罪普放淨光明願覩微妙相戊志

眼疾不可洗浴

舊說眼疾不可浴浴則病甚至失明著承直郎白彥良云未壯歲之前歲歲患赤眼一道人勸但能斷沐頭則不復病此彥良自此不沐今七十餘更無眼病泊宅編

眼痛不食

有人患赤眼腫痛脾胃虛弱喫飲食不得診其肝脉盛脾脉弱服涼藥以治肝則損脾愈喫飲食不得服煖藥以益脾則肝愈盛而加病何以治之但於溫平藥中倍加肉桂不得用茶調恐損脾也肉桂殺肝而益脾故一治而兩得之傳曰木得桂而死醫餘

眼赤腫

有人患眼疾每睡起則眼赤腫良久却無事百方治之無效師曰此血熱也非肝病也卧則血歸於肝熱血歸肝故令眼赤腫也良久便無事者人睡起血復散於四肢故也遂用生地黃汁浸粳米半升滲乾曝

令透骨乾凡三浸三乾用甕缾子煎湯一升令沸下
地黄米四五匙煎成薄粥湯放温食半飽後飲一兩
盞即眠如此兩日遂愈生地黄汁凉血故也（同上）

眼疾有虚實

凡眼疾有上盛下虚者有上虚下實者虚者宜服補
腎藥補其母也實者宜服凉心經藥瀉其子也眼科
云所謂補藥者非硫黄附子鹿茸蓯蓉之類是朱砂
磁石之類也治眼而補下當用眼藥故也茲為至理
（同上）

赤目戒食

患赤目以熱水濯足佳若澡浴必致失明切不可食犬雞魚鵞鴨卵

一目失明

錢鏐年老一目失明聞中朝國醫胡某者善醫上言求之晉祖遣醫泛海而往醫視其目曰尚可無療此當延五七歲壽若决瘼去內瘴即復舊但慮損福耳鏐曰吾得不為一目鬼於地下足矣願醫盡其術以療之當厚報醫為治之復故鏐大喜厚賂醫金帛寶帶五萬緡具舟送歸京師醫至鏐卒年八十一矣劉穎叔異誌

治眼

郭太尉真州人久患目盲有白翳膜遮喫眼藥無能効者有親仲監稅在常州守官聞張鼉龍之名因薦於太尉請張公視之曰此眼太尉緣熱藥過多乃生外障視物不明朝朝昏黑更無所覩醫者皆為肝元損下虛補其肝腎眼愈盲甚張曰請太尉將藥點眼并眼之一月取翳微消後果一月翳退雙目如舊因求點喫藥方乃只用猪膽微火銀銚內煎成膏入氷腦粒如黍米大點入眼中微覺翳輕後又將猪膽白膜皮曝乾合作小繩如釵大小燒作灰待冷點翳盛

者亦能治之此方甚好勿妄傳名醫錄

治內障

熟地黃麥門冬車前子相雜治內障眼有効屢試信然其法細搗蜜丸桐子大三藥皆難搗羅和合異常甘香真奇方也東坡太全篇

治爛緣眼

潭州宗室趙太尉家乳母苦爛緣風眼近二十年有賣藥老媼過門云此眼有蟲其細如絲色赤而長久則滋生不已吾能談咲除之入山取藥晚下當為治療遂使僕陰尾之見媼沿道掇叢蔓木葉以手挼碎

送口中咀嚼而留汁滓於小竹筒内餵復還縈皂紗蒙乳母眼取筆畫雙睛於紗上然後滴藥汁漬眼下緣轉盼間蟲從紗中出其數十七狀如先所云數日再至下緣肉乾如常人復用前法滴上緣又得蟲十數家人大喜後傳與醫者上官彥誠適呼鄰叉村婦病此者驗試無不立差其草乃雞冠子葉一味著於本草陳藏器云治眼暗不見物冷淚浸淫不止及青肓等取此草日曝乾擣令極爛薄綿裹之以男子[illegible]飲乳汁浸如人行八九里久用點目中即仰臥不過三四日視物如少年但禁酒麪油蓋治眼妙品也癸志

治内障眼

明州定海人徐道亨父沒奉母周游四方事之盡孝淳熙中到泰州宿於逆旅因患赤眼而食蟹遂成内障欲進趨不能素解暗誦般若經出丐市里所得錢米仍持歸養凡歷五年忽夜夢一僧長眉大鼻托一鉢盂盂中有水令徐掬以洗眼復告之曰汝此去當服羊肝丸百日徐知為佛羅漢喜而拜願乞賜良方僧曰用净洗夜明砂一兩當歸一兩蟬殼一兩木賊去節一兩共碾為末買羊肝四兩水煮爛擣如泥入前藥拌和丸桐子大食後溫熟水下五十丸服之百日

日復舊與母還鄉母亡棄家入道

治眼二百味花草膏

福州人病目兩眼間赤濕流淚或痛或痒晝不能視物夜不可近燈光兀兀癡坐其友趙謙子春語之曰是為爛緣血風我有一藥正治此名曰二百味花草膏病者驚曰用藥品如是世上方書所未用豈易遽辦君直相戲耳趙曰我適見有藥當以與君明日攜一錢匕至堅凝成膏使以匙抄少許入口一日淚止二日腫消三日痛定豁然而愈乃往謁趙致謝且扣其名物笑曰只用羯羊膽去其中脂而滿填好蜜拌

均蒸之候乾即入瓶研細為膏以蜂採百花并食百草故隱其名以眩人云（癸志）

班瘡入眼

小兒班瘡入眼皆由熱重毒氣上攻多因食毒物所致着瘡子盛發時覺眼腫痛時時與開看之睛上無瘡即不害事若有瘡亦須服清涼飲子每日食後一服微利之瘡子乾後將攝不如法及飲食不謹或無故眼自痛者即毒氣不盡也輕者清涼飲重者雄黄解毒丸須大下三四行然後服治眼藥只滑睛不破無不愈者（保生方）

眼中常見鏡子

有一少年眼中常見一小鏡子俾醫工趙卿診之與少年期來朝以魚鱠奉候少年及期赴之延於內且令從容俟客退方接俄而設臺子施一瓶芥醋更無他味卿亦未出迫禺中久候不至少年飢甚且聞醋香不免輕啜之逡巡又啜之覺胷中豁然眼花不見因竭瓶啜之趙卿知之方出少年以啜醋慙謝卿曰郎君先因喫鱠太多芥醋不快又有魚鱗在胷中所以眼花適來所備芥醋只欲郎君因飢以啜之果愈此疾乃烹鮮之會乃權詐也 北夢瑣言

目疾忌浴

有目疾者切忌浴令人目盲遯齋閑覽

偷針眼

凡患偷針眼者以布針一箇對井以目睛睨視之巳而折為兩段投井中眼即愈勿令人見

目視一物為二

荀牧仲頃年常謂予曰有人視一物為兩醫者作肝氣有餘故見一為二教服補肝藥皆不驗此何疾也予曰孫真人云目之系上屬於腦後出於腦中邪中於頭因逢身之虛其入深則隨目系於腦入於腦則

轉轉則目系急急則目眩以轉邪中於睛所中者不相比則睛散睛散則岐故見兩物也令服驅風入腦藥得愈本事方

洗眼方

以當歸黃連芍藥等分用水濃煎汁乘熱洗冷則再溫洗甚益眼目但是風毒赤目花翳等皆可用之凡眼目之病皆緣血脉凝滯使然故以活血藥合黃連治之血得熱即行故乘熱洗之用者無不神效出本草黃連注

口齒喉舌耳

治喉閉

元公張少卿説開德府士人携僕入京其一忽患喉閉脹滿氣塞不通命在頃刻詢諸郡人云惟馬行街山水李家可看治即與之往李駭曰證候危甚猶幸來此不然即死何疑乃於笥中取一紙撚用火點着才烟起吹滅之令僕張口刺於喉間俄吐出紫血半合即時氣寛能言及啖粥飲掺藥傅之立愈士人甚神其伎後還鄉里村落一庸醫偶傳得此術云咽喉病發於六腑者如引手可探及刺破瘀血即已若發於五臟則受毒牢深手法藥力難到惟用紙撚為第

一然不言所以用之之意後有人拾得其殘者盃頂以巴豆油塗紙故施火即着藉其毒氣徑赴病處類編

又

凡人患喉閉及纏喉風用藥開得咽喉後可以通得湯水急喫薄粥半碗或一碗壓下邪熱不壓即病再來不可不知也咽喉既可身熱頭疼不除此感外邪看脉氣及大小便有表證則發汗有裏証則微下之皆愈愈後虛喘而身不熱者必是服凉藥過多而下虛也當服鎮重温藥一服如黑錫丸正一丹之類以粥壓之

咽喉腫毒

有人患咽喉腫病下食不得身熱頭疼大便不通衆醫之論紛然皆以為熱當服涼藥有一善醫云脉緊數是感寒氣所致衆醫不從善醫者曰我有法驗得寒熱浴室中坐火用炒术葱湯淋浴若是病熱則此候處必有汗而咽喉痛不減若是感寒則雖浴無汗患信其言遂入浴淋洗而無汗就浴室中服麻黄湯須臾大汗出大便通即時無事衆醫服其神凡辨熱病與感冷皆可用此法醫餘

巧醫取喉鈎

咸平中職方魏公在潭州有數子弟皆幼因相戲以一釣竿垂釣用枣作餌登陸釣雞雛一子學之而誤吞其鈎至喉中急引乃鈎以鬚逆不能出命之諸醫不敢措手魏公大怖令人遍問老婦必能經歷時有一老婦九十餘歲言亦未嘗見此切料有稍識者可出之時本郡有一莫都料性甚巧令聞魏公魏公呼老婦責之曰吾子誤吞鈎莫都料何能出之老婦曰聞醫者意也其莫都料曾水中打碑塔添仰瓦魏公大咍親屬勉之曰試詢之公遂召莫都料至沉思時久言要淂一蚕璽及大念佛珠一串與之都料遂将

蚕繭如錢大用物權四面令軟以油潤之仍中通一竅先穿上鉤線次穿數珠三五枚令兒坐正開口漸添引數珠挨之到喉覺至繫鉤處乃以力向下一推其鉤已下而脫即向上急出之見蚕錢向下裹定鉤線鬚而出並無所損魏公大喜遂厚賂之公曰心明者意必太巧意明者心必善醫名醫錄

舌腫滿口

一士人泝汴東歸夜泊村步其妻熟寐撼之問何苦不荅又撼之妻驚起視之舌腫已滿口不能出聲急訪醫得一叟負囊而至用藥摻比曉復舊問之乃蒲

黄一味須真者佳本事方

舌無故出血

一士人無故舌出血仍有小穴醫者不曉何疾偶曰此名衄炒槐花為末摻之而愈良方

牙疼

牙疼有四一曰熱二曰冷三曰風四曰蚛熱者怕冷水冷着怕熱湯不怕冷熱即是風牙有蚛竅者即是蚛牙用藥之法熱用牙硝鬱金雄黄荊芥之類冷用乾薑蓽撥細辛之類風用猪牙皂角殭蠶蜂房川草烏之類蚛用雄黄石灰砂糖之類熱牙宜於牙齦上

出血諸牙痛用藥畢皆以溫湯漱之醫餘

牙齒日長

牙齒逐日長漸漸脹開口難為飲食蓋髓溢所致只服白术愈衛生十全方

舌脹出口

有人舌腫脹舒出口外無敢醫者一村人云偶有此藥歸而取至乃二紙撚以燈燒之取烟薰舌隨即消縮衆問之方肯言吾家舊有一牛亦舌腫脹出口人教以草麻取油蘸紙撚燒烟薰之而愈因以治人亦驗

治齒痛

葉景夏家一妾爲病齒所苦遇痛作時爬牀刮席呌呼連夕徹旦勺飲不可入口醫者無所不用經年不差或授一方取附子尖天雄尖全蝎七箇皆生碾碎拌和以紙撚蘸少許點痛處隨手則止林元禮云是未足爲奇舊得一法捕蚵蚾大者一枚削竹篦子刮其眉即有汁粘其上約所取已甚則放之而以汁點痛處凡疳蝕癰腫一切齒痛悉可用藥到痛定仍不復作姪孫僩云此名蟾酥膏先以篦掠眉下汁未出時當以細杖鞭其背及頭候作怒鼓脹則流注如湧

然後挹以綿經窒痛處類編

齲齒

齊中大夫病齲齒淳于意灸其左太陽脉即為苦參湯日漱三升出入五六日病已得之風及臥開口食而不漱史記

飲酒漱口

劉几年七十餘精神不衰每一飲酒輒一漱口雖醉不忘也曰此可以無齒疾晡後食少許物便已明道雜志

漱口食冷

進士劉適遇異人曰世人奉養往往倒置早漱口不

若将卧而漱去齒間所積牙亦堅固今人食冷物必飲湯将温其脾已冰其脾又何温之有不若未食冷物先飲湯温之繼食冷即無患也（翰苑名談）

棗能黃齒

倪彥及朝奉嘗為太原府幕官云彼中人喜食棗無貴賤老少常置棗於懷袖間等閑探取食之郡人之齒多黃緣食棗故嵇叔夜所謂齒居晉而黃虱處頭而黑是也（遯齋閑覽）

齒藥

西嶽蓮花峰碑載治口齒烏髭藥歌猪牙皂角及生

薑西國升麻蜀地黄木律旱蓮槐角子細辛荷葉蒻荷葉心子也要相當青鹽等分同燒煅研煞將来使更良揩齒牢牙髭鬢黑誰知世上有仙方類苑

齒間肉壅出

汪丞相徽之祁門人有寵平日好食動風物性尤嗜蟹或作蟹炰蟹簽恣啖之一日得風熱之疾齒間壅一肉出漸大漲塞口不能開水漿不入痛苦待盡已而有一道人言能治此疾丞相命醫之不日而愈其法用生地黄取汁一椀猪牙皂角数鋌火上炙令熱蘸汁令盡末之傅壅肉上隨即消縮多以金與之得

此方其壻李大夫說

飲酒喉舌生瘡

連月飲酒咽喉爛舌生瘡水中螺蚌肉葱豉薑椒煑汁飲三盞差聖惠方

苦參不可潔齒

予嘗苦腰重久坐則旅拒十餘步然後能行有一將佐見予曰得無用苦參潔齒否予時以病齒用苦參數年矣曰此病由也苦參入齒其氣傷腎能使腰重後有太常少卿舒昭亮用苦參揩齒歲久亦病腰自後悉不用腰疼皆愈此皆方書舊不載也筆談

齒縫出血

齒縫出血不止他藥不能治者鹽主之素問曰鹽勝血故也蘭室寶鑑用麥門冬煎湯漱之亦良

虎鬚治齒痛

虎鬚治齒痛仙人鄭思遠常騎虎故人許隱齒痛求治鄭曰虎鬚及熱插齒間即愈抜數莖與之

積年耳聾

驢生脂和生薑熟搗綿裹塞耳治積年耳聾本草按本草乃生椒非薑第未試用

骨哽韻畧用骾字類

治哽以類推

凡治哽之法皆以類推鸕鷀治魚哽磁石治針哽髮灰治髮哽狸虎治骨哽亦各從其類也

鵬砂治哽

鄱陽汪友良因食辣紼誤吞一骨如小指大哽於咽喉間隱然見於膚革引手可揣摸百計不下危累日鍾咳嗽亦痛僅能略通湯飲家人憂懼於昏睡處次覩一人着朱衣來告曰聞汝為骨所苦吾有一藥唯南鵬砂最妙恍惚驚寤謂非夢也殆神明陰受以方欲全其命索藥筒得砂小塊汲水滌洗取而含化才

食頃脱然而失王志

呪水治哽

以净器盛新汲水一盞捧之面東默念云謹請太上東流水急急如南方火帝律令勑一氣念七遍即吹一口氣入水中如此七吹以水飲患人立下或用此呪水可以食鈄并竹刺百一選方

漁人治哽

蘇州吴江縣浦村王順富家人因食鱖魚被哽骨横在胷中不上不下痛聲動鄰里半月餘飲食不淂幾死忽遇漁人張九言你取橄欖與食即軟也適此春

夏之時無此物張九云若無尋橄欖核搗為末以急流水調服之果安問張九你何緣知橄欖治哽張九曰我等父老傳橄欖木作取魚棹篦魚若觸着即便浮被人捉却所以知魚怕橄欖也今人煑河豚須用橄欖乃知化魚毒也

治哽

滁州蔣教授名南金因食鯉魚玉蟬羹為肋骨所哽凡治哽藥及象牙屑用之皆不效或令以貫衆不以多少濃煎汁一盞半分三服併進連服三劑至夜一咯而出因戲曰此骨仲之力也百一選方

故魚網治哽

故魚網主哽以網覆哽者頸差如煑汁飲之骨當下矣本草

倉卒有智

秀州士大夫家一小兒五歲因戲劇以首入搗藥臼中不復出舉家驚呼無計或教之使執兒兩足以新汲水急澆之兒驚啼體縮遂得出又有小兒觀打稻取穀芒寘口中黏着喉舌閒不可脫或令以鵞涎灌之即下蓋鵞涎能化穀也二者皆一時甚急非倉卒有智未易脫夷堅志

喘嗽

喘有三證

凡人患喘其證有三一曰寒二曰熱三曰水病熱者發於夏而不發於冬冷病者遇寒則發也水病者胸膈滿悶脚先腫也熱病者宜蛤蚧丸冷病宜葶藶散水病當其冷熱虛實虛而冷者紫金丹熱而實者防已丸以出養生必用方不合防已丸但言腹有濕熱欲驗喘疾是水不是水者小便澀脚微腫而喘者水證也當作水治之小便不澀脚不腫只作喘治之沈存中良方蒲頹葉孫大資麻黄梓朴湯不拘冷熱皆

可服也

咳嗽

咳嗽有二一曰熱二曰寒熱嗽有濃痰鼻聞腥氣宜服涼藥寒嗽痰薄宜服熱藥飲冷水一二呷而暫止者熱嗽也呷熱湯而暫止者冷嗽也此法用之有驗以小柴胡湯治熱嗽以理中湯加五味子治寒嗽皆已試之驗醫餘同上

又

經曰人感於寒則受病微則為咳甚為泄為痛凡咳嗽五臟六腑皆有之惟肺先受邪蓋肺主氣合於皮

毛邪之初傷先客皮毛故咳為肺病五臟則各以治
時受邪六腑則又為五臟所移古人言肺病難愈而
喜卒死者肺為驕臟怕寒而惡熱故邪氣易傷而難
治以其湯散徑過針灸不及故也十種咳嗽者肺咳
心咳脾咳腎咳肝咳寒咳風咳支飲咳膽咳厥陰咳
華佗所謂五嗽者冷嗽氣嗽鱢嗽飲嗽邪嗽孫真人
亦有方治寒毒疰嗽者歷代方論著之甚詳惟今之
所謂勞嗽者無所經見意其華佗所謂邪嗽真人所
謂疰嗽者是也此病蓋酒色過度勞極傷肺損動經
絡其重咯唾膿血輕者時發時差又有因虛感邪惡

之氣且傳疰得之或先嘔血而後嗽或先咳嗽漸就沉羸然非特內損肺經又挾邪惡傳疰之氣所以特甚病之毒害無過然也真人治疰嗽通氣丸方用蜈蚣四節又云夢與鬼交通及飲食者全用蜈蚣外臺方四滿丸治五嗽亦用蜈蚣近世名公能推原其指意率用蛤蚧天靈蓋桃柳枝麝香丹砂雄黃安息香之類以通神明之藥療之高出古人之意又肺中有蟲如蠶令人喉痒而咳湯散經過針灸不及以藥含化蟲死即嗽止鷄峯方

治瘵嗽

綬帶李防禦京師人初為入内醫官直嬪御閤妃苦痰嗽終夕不寐面浮如盤時方有甚寵　徽宗幸其閤見之以為慮馳遣呼李李先數用藥詔令往内東門供狀若三日不效當誅李憂撓技窮與妻對泣忽聞外間叫云咳嗽藥一文一貼喫了今夜得睡李使人市藥十貼其色淺碧用淡虀水滴麻油数點調服李疑草藥性獷或使臟腑滑泄併三為一自試之既而無他於是取三貼合為一携入禁庭授妃請分兩服以餌是夕嗽止比曉面腫亦消内侍走白　天顔絶喜錫金帛厥直萬緡李雖幸其安而念必宣索方

書何辭以對殆亦死耳命僕倈前賣藥人過邀入坐飲以巨鍾語之曰我見隣里服汝藥多效意欲淂方倘以傳我此諸物為銀百兩皆以相贈不吝曰一文藥安淂其直如此防禦要淂方當便奉告只蚌粉一物新瓦炒令通紅拌青黛少許爾扣其從来曰壯而從軍老而停汰頃見主帥有此故剽得之以其易辦姑藉以度餘生無他長也李給之終身類文

治齁喘

信州老兵女三歲因食鹽蝦過多遂淂齁喘之疾乳食不進貧無可召醫一道人過門見女病喘不止教

使求甜瓜蒂七枚研為粗末用冷水半茶鍾許調澄取清汁呷一小呷如其說才飲覺即吐痰涎若膠黐狀胸次既寬齁喘亦定次日再作又服之隨手愈凡三進藥病根如掃然藥味極苦難吞嚥俗諺所謂甘瓜蒂苦非虚言也同上

喘病

李翰林天台人有莫生患喘病求醫李云病日久矣我與治之乃取青橘皮一片展開入江子一箇將麻線繫定火上燒烟盡留性為末生薑汁酒一大鍾呷之過口便定實神方也名醫錄

肺氣

肺者臟之蓋也肺氣盛則脉大脉大則不得偃卧

肺熱久嗽

有婦人患肺熱久嗽身如炙肌瘦將成肺勞以枇杷葉木通款冬紫菀杏仁桑白皮等分大黄減半如常製為末蜜丸櫻桃大一丸食後夜卧含化未終劑而愈本草衍義

喘有冷熱

人有喘疾不可一槩治之須分陰陽病發於冬寒冷病也病發於暑月熱病也冷病服豉霜丸清中湯黄

肺散熱病服青杏蛤蚧丸之類又有一方孫大資桂
朴散不拘冷熱皆可服醫餘

水喘

有人先因咳嗽發喘胸膈痞悶難於倒頭氣上湊者
宜早利水道化痰下氣若不早治必成水宜服紫金
丹病水人水在膜外切不可鍼鍼透膜初時稍愈再
來即不可治同上

翻胃

治翻胃

淳熙元年冬擦姪自鄱陽往四明過婺州義烏晚泊

逆旅倏有野服者坐于傍扣其何人曰邑醫孫道玫
療眼疾椿與之語孫曰君貴家子弟必藏好方畀我
一二或可為人起疾櫃素秘翻胃方即口授之其法
用一大附去其蓋刳中使淨納丁香四十九粒復以
蓋覆之用線縛定置銀石器中浸以生薑自然汁及
蓋而止慢火煮乾細末一錢匕摻舌上嗽津下若煩
渴則徐食糜粥忌油膩生冷孫喜書之於册未幾州
鈐轄苦此病危甚孫為拯之正用此方數服愈類編

驢尿治翻胃

驢尿治翻胃外臺載昔幼年經患此疾每食餅及羹

粥等須臾吐出正觀中許奉御兄弟及柴蔣等時稱名醫奉敕令治罄竭其術竟不能療漸至羸憊死在朝夕忽有一衛士云服驢小便極驗日服二合後食惟吐一半晡時又服二合人定時食粥吐即便定迄至今日午時奏之大內五六人患翻胃同服一時俱差然藥稍有毒服時不可過多盛取及熱服二合病深七日以來服之良驗本事方

乾嘔不吐

粥食湯藥皆吐不停灸手間使二十壯若四肢厥脉沉絕不至者灸之便通然起死之法千金方

霍亂

夫霍亂之起皆由起居之失宜飲食之不節露卧濕地或當風取快温涼不調清濁相犯風冷之氣歸於三焦傳於脾胃真邪相干水穀不化便致吐利皆名霍亂其揮霍之間便致撩亂診其脉来代者霍亂又脉代而絶者是證也霍亂脉大者可治微細者不可治脉微而遲氣息少不欲言者不可治養生方云七月食蜜令人暴下鷄峯方

醫說卷四 廿七

醫說卷四